JN096577

図・解・で・わ・か・る

最新 エクセルの
データ分析が

みるみるわかる 本

Excel2021/2019/2016対応版

超簡単

道用大介 著

秀和システム

データ分析なんて
したことないけど…

ビッグデータ時代に備えよう!

　近年は大学におけるデータサイエンス教育の充実が図られ、そのために文部科学省が補助金を出すなど、重要な分野として扱われています。データサイエンスはデータから価値を引き出す学問ですので、高度なデータ分析力が要求されます。

　でも、大量のデータを活かせるかどうかは、人間次第です。データから何かを読み解き、有益な情報にできるかどうかが、いままで以上に求められてくることでしょう。データを読み解く能力は、これからのビジネスに必要な素養といえます。

　本書はデータ分析の基礎を扱ったものですので、本書の先には現代社会で求められるデータサイエンスの世界があります。

　本書を読むだけでも十分有用ですが、その先のデータサイエンスの世界に興味がある方にも、本書を入門書としてお使いいただければと思っております。

さて、本書は「数学が苦手！」「昔やったけど忘れた！」「データ分析なんてしたことないけど…！」という読者のための、Excelによるデータ分析の入門書です。

　数式は中学校で教わった方程式ぐらいしか使いません。より専門的な勉強をしたいなら、しかるべき書籍で勉強をしてください！

　Excelを含めて最近はソフトウェアの機能が向上したので、コンピュータを使うことによってデータ分析も身近になりました。基本さえ押さえておけば、いろんな分析もなんとなく本質がわかるでしょう。
　本書では、データ分析を行う上で基本となる内容をわかりやすく説明します。

　専門書の難しい言いまわしでデータ分析を諦めた方も、本書でもう一度基本を押さえてから専門書を読めば、昔よりは理解できるでしょう。

　これからの時代に備えた第一歩を踏み出しましょう！

情報処理の勘違い？

　皆さんは「情報処理」のことを「パソコンを使って何か処理する」ことだと思っていませんか？　それは間違いです。その違いを知るために「データ」と「情報」について考えましょう。

　国語辞典（大辞林　第三版）で「データ」と「情報」を調べてみると、次のように書いてあります。

> データ…状態・条件などを表す数値・文字・記号
> 情報……ある特定の目的について，適切な判断を下したり，行動の意思
> 　　　　決定をするために役立つ資料や知識

　つまり、様々なことを表す数値、文字、記号、すべてがデータであり、その中で何かしらの行動や意思決定につながるものを情報といいます。よって、Aさんにとって情報でも、Bさんにとっては情報ではないこともあるわけです。

　情報処理とは、「パソコンを使って何か処理する」ことではなく、本来は「データを情報に変換すること」や「情報をより付加価値の高い情報に変換すること」を意味します。データ分析もただ分析するだけではなく、有益な情報を作るために分析するわけですから、情報処理の一部といえます。

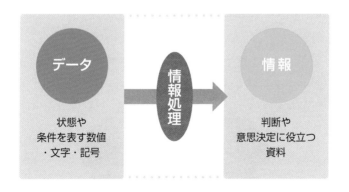

いま流行りのデータ・サイエンティストって？
ビッグデータって？

　「データ・サイエンティスト」という言葉自体は昔からありますが、ハーバード・ビジネス・レビュー誌で「21世紀でもっともセクシーな職業」と紹介されて脚光を浴びました。データ・サイエンティストは本来の意味の「情報処理」を高度なレベルで実現する人達です。そして彼らの活躍の場を広げたのが「ビッグデータ」です。ビッグデータとは、これまで扱ってきたデータよりも種類も量も"ビッグ"なデータのことです。

　ビッグデータ時代といっても誰もがビッグデータを扱うということではありません。しかし、一人ひとりが扱うことのできるデータ量は徐々に増えていくでしょう。そうしたときに、それらのデータを少しでも有益な情報にできる術は持っておきたいですね。

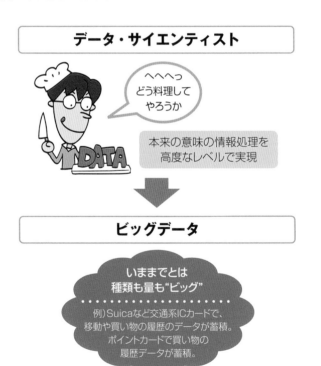

データ・サイエンティスト

へへへっ
どう料理して
やろうか

本来の意味の情報処理を
高度なレベルで実現

ビッグデータ

いままでとは
種類も量も"ビッグ"

例）Suicaなど交通系ICカードで、
移動や買い物の履歴のデータが蓄積。
ポイントカードで買い物の
履歴データが蓄積。

データ分析で何ができるの？

　本書のテーマであるデータ分析は、データを分析して情報を作り出すことです。売上推移のグラフを作って、傾向を把握することもデータ分析と呼んでかまいませんが、そんなことはいまの時代、誰でもできるので、本書では、もうちょっとだけ高度なデータ分析をするための基礎力を付けていただきたいと思います。基礎力といっても何となく理解できれば、それでかまいません。

　世の中の多くの人が行っている集めたデータの合計値、平均値、最小値、最大値を計算する、グラフで分布を見るといった分析は「記述統計学」と呼ばれています。ふだん何気なくやっていることも"記述統計学"といわれると、何だかすごいことをやっているように聞こえますね(^^)。

　この記述統計からちょっと進むと「推測統計学」というものがあり、ビッグデータでなくても少ないデータからあれこれ推測し、違いを見付け出したりするのに役立ちます。

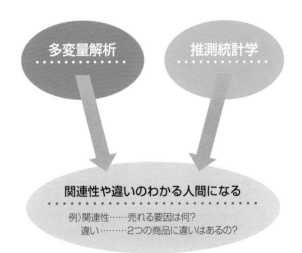

多変量解析

推測統計学

関連性や違いのわかる人間になる

例)関連性……売れる要因は何？
　　違い………2つの商品に違いはあるの？

また、いくつかの事柄の関係を分析するためには「多変量解析」という、何だか言葉だけは難しそうな分析も非常に役に立ちます。

　つまり、多変量解析や推測統計学をちょっと勉強すると、様々な事象の関係性が見えてきたり、違いが見えてきたりします。先ほどから、"何となく理解""ちょっと勉強"と書いていますが、考え方がわかれば、あとはExcelが計算してくれるからです。

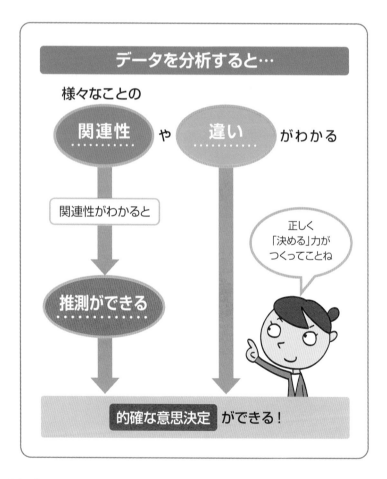

contents

第1章　経験則は正しいか（相関関係と因果関係）

第2章　予測してシミュレーションしてみる（回帰分析）

第9章　地図上にデータを配置

第 **1** 章

経験則は正しいか
（相関関係と因果関係）

ある商業施設の一角で
小さな生ビール屋をはじめたばかりの花子は
ビールの仕入れ量に悩んでいて、
友達の一郎に相談しました。

花子：「毎日ビールを仕入れるんだけど、どれだけ仕入れれ
　　　ばいいか結構悩むんだよね……」

一郎：「えっ。ビールって暑ければ暑いほど、売れるんじゃな
　　　いの？」

花子：「まぁ、そんな感じだね。」

一郎：「ということは、気温と販売量に相関があるってことで
　　　しょ？　天気予報見てれば販売量が簡単に予測でき
　　　そうだから、仕入れ量も簡単に決められそうじゃん。」

花子：「ソウカン？？　何それ？」

一郎：「えっ、相関も知らないの？」

関係がわかれば行動がとれる！

　私たちは経験的にいろいろな関係について知っていたり、想像できたりします。例えば、

- ●暑ければビールやアイスがよく売れる
- ●寒いと焼き芋、甘酒、肉まんがよく売れる
- ●家庭では気温が高いと洗濯の量が増える
   などなど

　「一方が上がれば、もう一方も上がる」という関係や「一方が上がれば、もう一方は下がる」という関係のように一方の変化に応じて、もう一方も変化する関係のことを**相関関係**と言います。

　また、2つの関係に相関関係が存在することを「**相関関係にある**」といったり、簡単に「**相関がある**」といったりします。

> 気温とビールの売れ行きには相関がある

といった感じです。インターネットのショッピングサイトでは、個人の過去の購買履歴、閲覧履歴などをもとにおすすめ商品が表示されます。このような仕組みも、「商品Aを買った人は商品Bも買っている」「商品Aを買った人はカテゴリーBの商品も買っている」というように相関があるものを見つけ出して、提案しています。暑ければビールが売れるとわかっていれば、今週は暑いからビールをたくさん仕入れるなど行動を起こすことができます。

相関を見付けることは、様々な有益な行動につながり、データ分析の基本といえるでしょう。

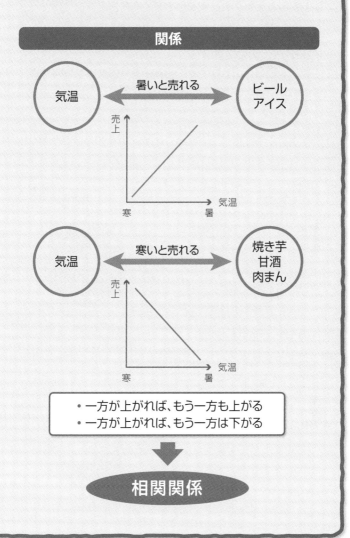

正の相関と負の相関

　一方の変化に応じて、もう一方も変化する関係のことを「**相関関係**」といいましたが、相関関係には2種類あります。「**正の相関**」と「**負の相関**」です。

「一方が**上がれば**、もう一方も**上がる**」という関係が「**正の相関**」
「一方が**上がれば**、もう一方は**下がる**」という関係が「**負の相関**」です。

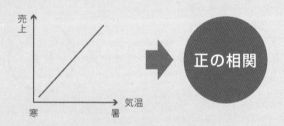

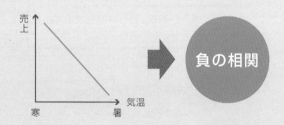

相関関係の強さ

　経験的に相関がありそうだと思っても、それを数字などで示せないと他の人にはなかなか納得してもらえません。どうすればいいのでしょうか？

　人間関係にも結び付きの強さがあるように、相関関係にもその関係の強さというものが存在します。

　この相関関係の強さは**相関係数**という−1〜1の数字で表すことができます。

- 相関係数が1に近ければ近いほど正の相関が強い
- 相関係数が−1に近ければ近いほど負の相関が強い

　という意味になります。相関係数は一般的にR（もしくはr）と記述されることが多いので覚えておきましょう。また、相関係数による相関関係の強さの目安は下記のようになります。

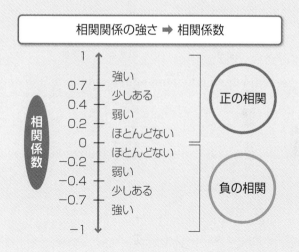

相関関係の強さ ➡ 相関係数

相関係数	
1	
0.7	強い
0.4	少しある
0.2	弱い
0	ほとんどない
−0.2	ほとんどない
−0.4	弱い
−0.7	少しある
−1	強い

正の相関

負の相関

1 相関分析をやってみよう

★☆☆

相関があるかどうかを分析したい場合、まずは散布図を作りましょう。

相関分析

❶相関.xlsxというファイルを準備します（ダウンロードファイル）。ファイルを開き「データ」というシートを表示します。A列に気温（℃）、B列にビールの販売量（杯）が記入されています。（こんな販売量では儲からないでしょうが、わかりやすくするため販売量はかなり小さい数字にしてあります。）

❷A列とB列を選択します。

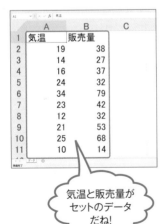

気温と販売量が
セットのデータ
だね！

データをすべて
選択だね！

❸ [挿入タブ] の [散布図] をクリックします。

点々に
なっているのが
散布図だね!

❹散布図 (マーカーのみ) をクリックします。

散布図

これをクリック!

❺散布図が作成されます。

縦軸は販売量　　横軸は気温

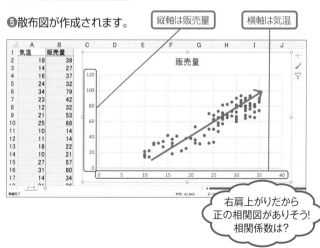

右肩上がりだから
正の相関図がありそう!
相関係数は?

2 相関係数の求め方

★☆☆

相関の強さを表す相関係数は、CORRELという関数を使って求めることができます。

相関係数

散布図を見てみると、

❶ D1 セルに「相関係数」と入力します。D2 セルを選択し、[数式タブ] の [関数の挿入] をクリックします。

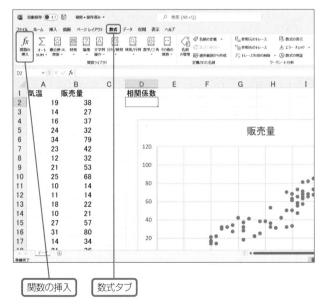

関数の挿入　　数式タブ

❷ [関数の検索] に相関と入力して [検索開始] ボタンをクリックします。関数名に表示されたCORRELを選択して、[OK] ボタンをクリックします。

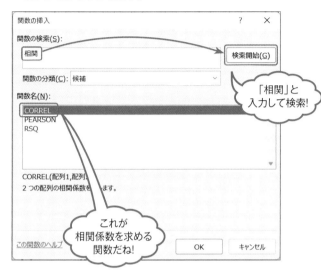

❸ [配列1] に気温のデータ範囲を設定します。
❹ [配列2] に販売量のデータ範囲を設定し、[OK] ボタンをクリックします。

気温のデータ範囲　　販売量のデータ範囲

❺ D2セルに相関係数が表示されます。

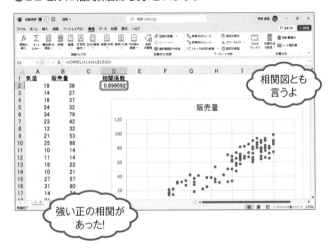

相関図とも
言うよ

強い正の相関が
あった!

　相関係数は0.899と非常に高い数値を示し、散布図も全体的に右肩上がりになっていることから、気温とビールの販売量には正の相関があるといってよいでしょう。

Column 分析ツールを表示する

　データタブに**分析ツール**が表示されていない場合は下記の手順で分析ツールを表示してください。

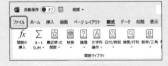

❶**ファイル**タブをクリックします。

❷**オプション**をクリックします。

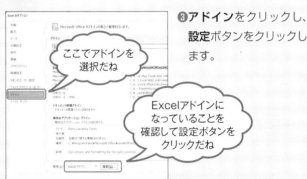

ここでアドインを選択だね

Excelアドインになっていることを確認して設定ボタンをクリックだね

❸**アドイン**をクリックし、**設定**ボタンをクリックします。

❹**分析ツール**にチェックを入れて [OK] ボタンをクリックします。

3 相関がありそうだけど、相関係数が低い？

★★☆

次はある焼き芋屋さんの気温と販売量のデータを見てみましょう。このデータで相関係数を求めてみると、−0.018でした。ほぼ相関がないといっていい値ですね。

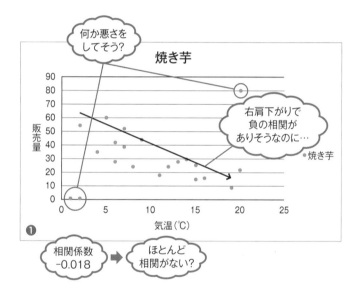

何か悪さをしてそう？

焼き芋

右肩下がりで負の相関がありそうなのに…

●焼き芋

販売量

気温(℃)

❶

相関係数 −0.018 ➡ ほとんど相関がない？

しかし、❶の散布図をご覧ください。この散布図は気温と焼き芋の販売量の関係を示した散布図です。この散布図を見て、気温と焼き芋の販売量に「相関がない」ように見えるでしょうか？　私には「相関はある」ように見えます。

なぜ相関がないような値が算出されてしまったのでしょうか？　左下と右上の飛び出たデータが悪さをしています。

このような**外れ値**があった場合、なんらかの特別な事情があるデータ（**異常値**）の可能性も検討しましょう。外れ値とは他のデータからかなり離れてしまっているデータです。

ちゃんと測定、入力したデータでも、ほとんどの値からずれているデータは見つかることがあります。そのようなデータが許容範囲内なのか、それともやっぱり何かが異常なデータなのか、区別するための基準が知りたいものでね。比較的簡単に外れ値を見つける方法として、次節の箱ひげ図による方法があります。また、第7章や第8章のデータの分布から見つける方法もあります。

もし、外れ値が異常値と確認できるのであれば、これらのデータは削除して、もう一度相関係数を求めてみるとよいでしょう。

ここで注意ですが、外れ値を何も考えずに削除してはいけません。それは "ズルをした "ことになります。何か理由のあるデータなのかもしれないので、ちゃんと異常値なのかどうかを確認しましょう。

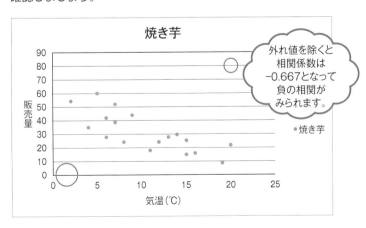

4 外れ値はどうすれば見わけられますか？ （箱ひげ図、四分位数） ★★☆

外れ値を見つけるのに有効な分析に「箱ひげ図」があります。

箱ひげ図は、「四分位数」を基に描かれるグラフの一種です。Excelで箱ひげ図を描くと、外れ値が見つかることがあります。

箱ひげ図で外れ値を見つける

❶異常値v2.xlsxのB列を選択します。「挿入」タブの「おすすめグラフ」クリックします。

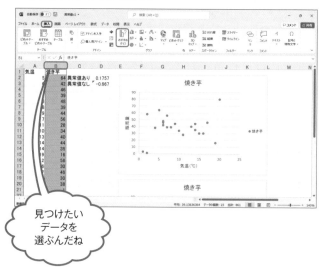

見つけたいデータを選ぶんだね

❷「すべてのグラフ」タブを開いて、「箱ひげ図」をクリックします。「OK」ボタンをクリックします。

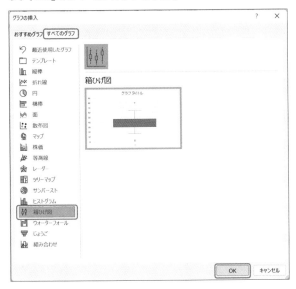

❸箱ひげ図が表示されます。箱ひげ図を右クリックして「データ系列の書式設定」をクリックします。

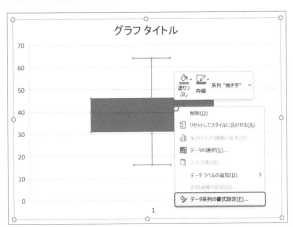

❹「データ系列の書式設定」ウィンドウの「系列のオプション」から「特異ポイントを表示する」にチェックを入れると、外れ値が表示されます。

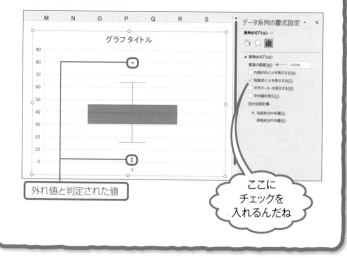

ここにチェックを入れるんだね

外れ値と判定された値

■箱ひげ図で集まり具合が外れているデータがわかる

　あるデータの散らばり具合を視覚的に表すには、第7章のヒストグラムがわかりやすいです。**箱ひげ図**は、複数のデータ間のばらつき具合を比較するのに適していますが、それについては、第7章21節の「いくつかの分布を見比べる（ヒストグラム、箱ひげ図）」で説明します。というわけですが、ここでは、外れ値を見つけるために箱ひげ図を利用しています。

　どうして箱ひげ図が外れ値を見つけやすいのかを説明するには、箱ひげ図の描き方を説明しなければなりません。実は箱ひげ図の描き方は、何種類もあるのでが、ここではExcelの描き方を説明します。

わかりやすいように、ここでは「焼き芋」の販売量のデータを順番に並べ直しておきます。実際にExcelで箱ひげ図を描くときには整列させる必要はありません。

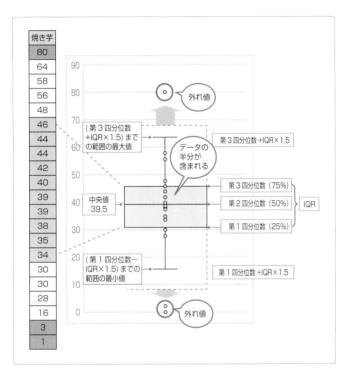

　データの中央値は「39.5」です。四分位数では、この中央値のことを「**第2四分位数**」といい、長い実線で記しておきます。第2四分位数の上位25%を「**第3四分位数**」、下位25%を「**第1四分位数**」といい、やはり長い実線で記します。第3四分位数、第2四分位数、第1四分位数の3本の線を縦線で結ぶと、長方形の箱が描けます。この箱の範囲を「**IQR**」と呼びます。IQRにはデータの半数が含まれます。

次に、第3四分位数にIQRの1.5倍を足したところに上限の線を仮定します。線は引きません。同じように、第1四分位数からIQRの1.5倍を引いたところにも下限を示す線を仮定します。この範囲にあるデータが外れ値にならないデータです。

　箱ひげ図の作成を続けます。中央値からデータ数の上下25%のさらにIQRの1.5倍の範囲にある最大値と最小値に短い線を引きます。先ほど描いた箱から、この短い線に「**ひげ**」を引くと、箱ひげ図が完成します。

　結局、箱ひげ図に描かれなかったデータが「**外れ値**」になります。

　外れ値を含めて、データ全体の最大値と最小値を短い線で描き、箱からひげでつなげる描き方もありますが、Excelでは以上のように外れ値が表示されます。

箱ひげ図から
外れ値が
見つかることも
あるんだよ

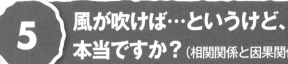

■因果関係

　気温が高いとビールの販売量が増えるという現象は「暑いと冷たいものが飲みたくなる」という**理由**なのだろうと想像できます。

　気温が高いと洗濯の量が増えるという現象も「気温が高いと汗をたくさんかくので、着替える回数が多くなり、洗濯物の量が多くなるのだろう」と、なんとなく**原因**がわかります。

　原因と結果のつながりのことを**因果関係**といいます。

　「風が吹けば桶屋が儲かる」ということわざはどうでしょう？　「風が吹いたら桶が売れるかもしれませんが、なんで？？？」とまったく原因がわかりません。

　つまり、「風が吹けば、桶屋が儲かる」という現象は、もし風速と販売量に相関関係があったとしても、因果関係がまったくわかりません。

　もしかすると、私では想像もできない"見えない要因"によって、あたかも関係があるような結果になってしまったのかもしれませんが、いくら相関があっても、原因と結果のつながりがわからない現象を信じるのは勇気のいることですね。

　このように、因果関係がないのにあたかも相関があるように見えてしまうことを**擬似相関**といいます。

相関関係と因果関係

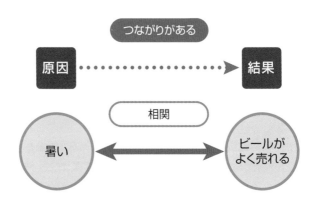

つながりがある

原因 ·········▶ 結果

相関

暑い ◀▶ ビールが
よく売れる

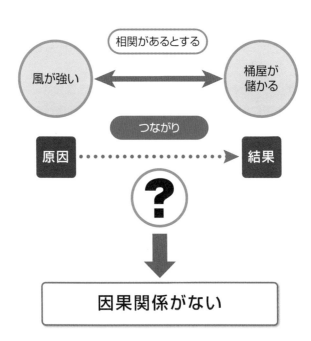

相関があるとする

風が強い ◀▶ 桶屋が
儲かる

つながり

原因 ·········▶ 結果

?

因果関係がない

　擬似相関が悪いというわけではありません。擬似相関でも、そこを手掛かりにいろいろ調査してみると、本当の因果関係を見付けることもできるかもしれません。

　例えば、アイスの販売量と救急車の出動回数に相関があったとします。「アイスを食べて体調が悪くなり救急車を呼ぶ人が増える…」というのは考えづらいですね。おそらく、アイスが売れる＝気温が高い➡海や川に出かける人が増える➡水難事故が増える➡救急車の出動回数が多くなるというストーリーなら納得ができます。気温と水難事故の関係や気温と救急車の出動回数の関係をみれば、それらのつながりがきっと見えてくるでしょう。

　社会は非常に複雑に絡み合って成り立っています。これからビッグデータを使えるようになってくるとたくさんの擬似相関もでてくるでしょう。相関係数というデータだけではなく、その因果関係は何なのかをしっかり考えていくことも大事です。

MEMO

第**2**章

予測してシミュレーション してみる（回帰分析）

1章で花子は相関について理解できたようでした。

花子：「なるほどね。確かに気温とビールの販売量には相関 があるね。」

一郎：「でしょ。」

花子：「でも、相関があることがわかったけど、結局何℃だっ たら何個売れるかってわかんないじゃん。暑いときは ビールが売れるってことぐらい相関係数を求めなくて も経験的にわかってたんだけど……」

一郎：「まぁまぁ、暑ければ暑いほど、ビールが売れるという ことを実証したと思ってよ。相関があるってわかれば、 回帰分析をすれば、何℃のときはだいたい何個売れ るかわかるんじゃない?」

花子：「カイキブンセキ?」

販売量を予測する回帰分析？

いきなり、回帰分析（かいきぶんせき）という難しい言葉が出てきましたが、気温からビールの販売量を予測するように、一方のデータ（気温）から、もう一方のデータ（ビールの販売量）の値を予測する数式（回帰式）を考える分析のことです。

数式を考えるとなると難しそうですが、数式はExcelが求めてくれるので、まずは概念を理解しましょう。次ページの散布図①を見てください。

この散布図を直感的に1本の線で表してみましょう

というお題が出されたとします。多くの人が散布図②のように斜めの線を1本引くのではないでしょうか。この直線と天気予報を使えばビールの販売量が何となく予想できますね。

気温が1度上がると何個多く売れる？

例えば、明日の最高気温が32℃の場合、横軸で32℃の場所を探し、そこから真上に点線を引き、先ほど引いた斜めの線とぶつかる点を探します。今度はその点から、左に点線を引き、縦軸とぶつかった点の販売量が32℃での販売量の予測という具合です。この斜めの線は直感で引いてもいいのですが、それだと人によって違う線を引いてしまいそうなので、数学的にそれらしい理由を付けて線を引きます（Excelが引いてくれます）。この直線のことを**回帰直線**といって、回帰直線を表した数式を**回帰式**といいます。

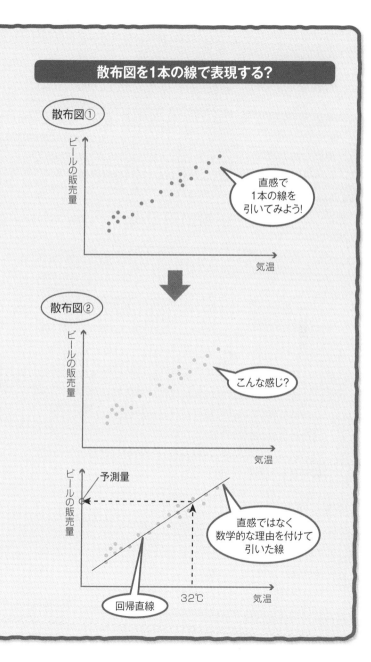

ちょっと数式のおさらい

　さて、今回扱う回帰式は　中学校で学ぶようなすごく簡単な数式で、かつExcelが数式を作ってくれます。しかし、世の中の大半の方は数式とは関係のない人生を歩んでいることでしょうから、ここで数式の感覚を取り戻しておきましょう。（読み飛ばしていただいてもかまいません。）ビールの販売量と気温のデータをちょっと簡単にして、

0℃で0個	20℃で200個
5℃で50個	25℃で250個
10℃で100個	30℃で300個
15℃で150個	35℃で350個

としましょう。この場合5℃上昇すると50個多く売れています。つまり、1℃上昇すれば10個多く売れるのでは？　という予測ができるわけです。

　これをちょっと数式っぽくしてみると

販売量＝気温×10個

となります。この数式に具体的な数字を入れてみましょう。

［気温が20℃の場合］
販売量＝20℃×10個
＝200個

1℃上がると何個多く売れる?

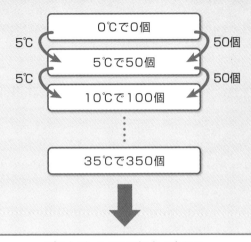

0℃で0個

5℃ ⟶ 5℃で50個 ⟵ 50個

5℃ ⟶ 10℃で100個 ⟵ 50個

⋮

35℃で350個

⬇

5℃上がったら50個多く売れる

ということは

1℃上がったら10個多く売れる

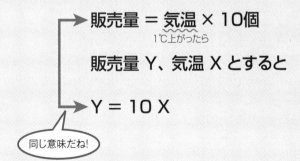

販売量 = 気温 × 10個
　　　　　1℃上がったら

販売量 Y、気温 X とすると

Y = 10 X

同じ意味だね!

となり、前記のデータと一致しますね。これで、気温がわかれば、販売量がわかるようになりました。それでは、次に販売量をYとして、気温をXと置き換えてみましょう。

$$Y = 10X$$

となります。なんだか学校のお勉強でやったような数式になりましたね。なお、予測した販売量のことを目的変数といったり、従属変数といいます。予測に使う気温のことは説明変数といったり、独立変数といったりしますが、訳がわからなくなるので、本書ではこのような言い方はせず、目的変数➡予測したい数、説明変数➡要因と呼ぶことにします。

　さて、続いて下記のような例を考えてみましょう。

0℃で10個	20℃で210個
5℃で60個	25℃で260個
10℃で110個	30℃で310個
15℃で160個	35℃で360個

　この場合も前ページと同じように、5℃上昇すると50個多く売れていて、1℃上昇すれば10個多く売れるのにかわりはありません。ただし、0℃のときでも10個売れています。

販売量＝気温×10個

気温が0℃でも10個売れる?

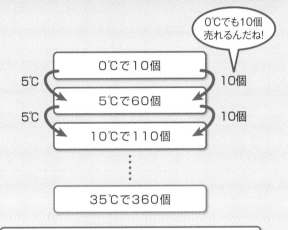

0℃でも10個売れるんだね!

	0℃で10個	
5℃	5℃で60個	10個
5℃	10℃で110個	10個

35℃で360個

0℃で10個売れて、5℃上がったら
50個多く売れる
（1℃上がったら10個多く売れる）

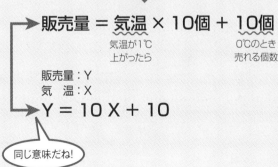

販売量 = 気温 × 10個 + 10個

気温が1℃　　　　　　0℃のとき
上がったら　　　　　　売れる個数

販売量：Y
気　温：X

Y = 10 X + 10

同じ意味だね!

という式では0℃のとき販売量が0になってしまうので、

販売量＝気温×10個＋10

とするとつじつまが合います。XとYを使うと

Y = 10 X + 10

このように

Y = a X + b

というかたちで、予測したい数をY、要因をXとして、予測精度が高くなるようにaとbを決める訳です。こんな感じで、予測のために数式を作ることが回帰分析だと思ってください。それと、何度もいいますが、数式はExcelが作ってくれるので安心してください。

6 Excelで回帰分析を やってみよう（グラフ）

★☆☆

それでは、回帰直線を引いてみましょう。

一番簡単なのが散布図上で回帰直線を引く方法です。前章で作成した散布図上に回帰直線を描いてみましょう。

散布図を使って回帰分析

❶回帰分析.xlsxというファイルを準備します。（ダウンロードファイル）

❷ファイルを開き「データ」というシートを表示します。

❸前章のように散布図を作成します。

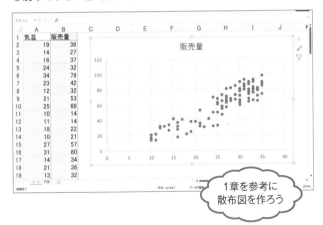

1章を参考に散布図を作ろう

❹散布図上の点にマウスポインタを合わせて、右クリックします。

❺ [近似曲線の追加(R)] をクリックします。

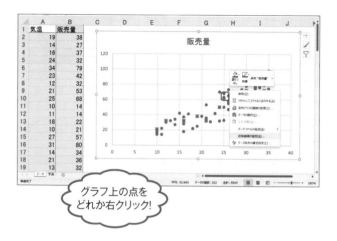

グラフ上の点を
どれか右クリック!

❻ [線形近似] をクリックします。

❼ [グラフに数式を表示する] にチェックを入れます。

❽ [グラフにR−2乗値を表示する] にチェックを入れます。

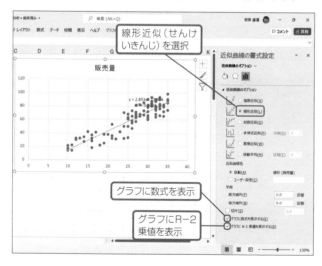

線形近似（せんけいきんじ）を選択

グラフに数式を表示

グラフにR−2乗値を表示

❾近似曲線の書式設定ウィンドウを閉じます。

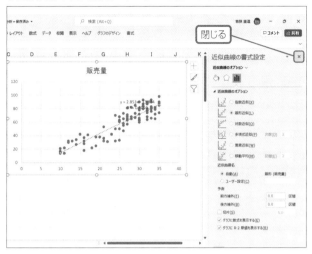

❿❾までのステップで散布図上に回帰直線と回帰式が表示され
ます。グラフのプロットと回帰式が重なって見えない場合は、
回帰式が書かれているテキストボックスを適度な場所にド
ラッグ＆ドロップして移動させます。

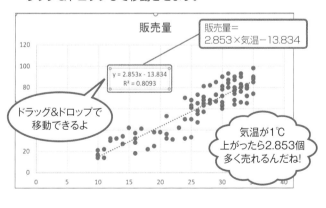

7 Excelで回帰分析を やってみよう（分析ツール）

★☆☆

回帰分析は分析ツールを使ってもできます。データ分析ツールは以降の章でも頻繁に使うので使い慣れておきましょう！

分析ツールを使って回帰分析

❶ [データ] タブの [データ分析] をクリックします。

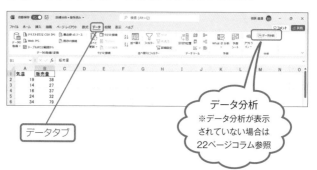

データタブ

データ分析
※データ分析が表示
されていない場合は
22ページコラム参照

❷ [回帰分析] をクリックし、[OK] ボタンをクリックします。

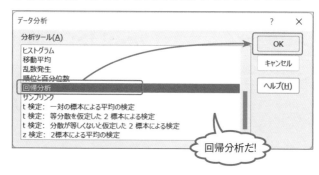

回帰分析だ！

❸ [入力Y範囲(Y)] に販売量データの範囲を設定します。

❹ [入力X範囲(X)] に気温データの範囲を設定します。

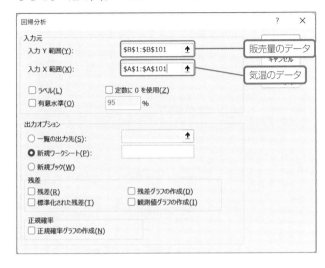

❺ 先頭のラベル (タイトル業) をデータ範囲に入れたので[ラベル] にチェックを入れます。

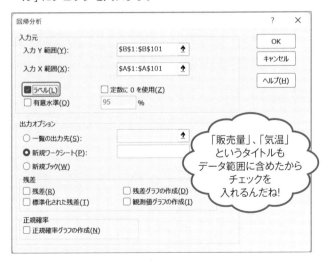

「販売量」、「気温」
というタイトルも
データ範囲に含めたから
チェックを
入れるんだね!

❻ [出力オプション] の [新規ワークシート] にチェックを入れ
て、シート名を入力（今回は「回帰分析」と入力）し、[OK]
ボタンをクリックします。

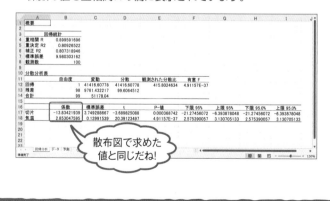

❼❻で入力した名前のシートに出力結果を表示されます。
係数の切片と気温を見てみると、先ほど散布図で求めた回帰
式と同じような数字が表示されています。前章で求めた相関
係数の値も重相関Rの欄に表示されています。

	A	B	C	D	E	F	G	H	I	J
1	概要									
2										
3	回帰統計									
4	重相関 R	0.899591696								
5	重決定 R2	0.80926522								
6	補正 R2	0.807318946								
7	標準誤差	9.980303162								
8	観測数	100								
9										
10	分散分析表									
11		自由度	変動	分散	観測された分散比	有意 F				
12	回帰	1	41416.60778	41416.60778	415.8024634	4.91157E-37				
13	残差	98	9761.432217	99.6064512						
14	合計	99	51178.04							
15										
16		係数	標準誤差	t	P-値	下限 95%	上限 95%	下限 95.0%	上限 95.0%	
17	切片	-13.83421939	3.749288667	-3.688825088	0.000368742	-21.27456072	-6.393878048	-21.27456072	-6.393878048	
18	気温	2.853047595	0.13991539	20.39123497	4.91157E-37	2.575390057	3.130705133	2.575390057	3.130705133	
19										
20										
21										
22										

散布図で求めた
値と同じだね！

8 さて実際に 予測をしてみよう！

★☆☆

販売量＝2.85×気温−13.83

で求められることがわかりました。それでは、気温からビールの販売量を予測してみましょう。

ビールの販売量を予測

❶「予測」というシートのA1セルに「気温」、B1に「販売数」と入力します。
❷B2セルを選択し、数式バーに「=2.85＊A2−13.83」と入力します。

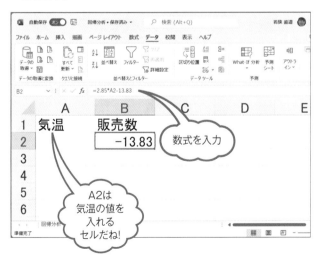

予測してシミュレーションしてみる（回帰分析）

❸A2セルに気温を入力すると、B2セルに販売量の予測値が表示されます。

販売量＝2.85×気温−13.83

で予測できるということは、このお店では気温が1℃上がるとビールが約3杯多く売れるということですね。

第 **3** 章

予測してシミュレーション してみる（重回帰分析）

2章で花子は回帰分析について理解できたようでした。

花子：「回帰分析をすれば天気予報を見て、気温から販売量 を予測できるね。」

一郎：「でしょ。」

花子：「うちの店はある商業施設で営業しているんだけど、 何かイベントあったら来場者数が増えて売上も伸び るんだよね。本当は来場者も考慮したほうが正確に 予測できる気がする……」

一郎：「これまでの来場者数って多分わかるよね？　毎日の 来場者数の予想をその施設から教えてもらえる？」

花子：「多分……」

一郎：「そしたら、気温と来場者数で重回帰分析して、もっと 精度よく予測できると思うよ。」

花子：「ジュウ回帰分析？？」

気温と来場者数から予測する（重回帰分析）

前章ではビールの販売量を気温から回帰分析を使って予測できました。実はこの回帰分析は**単回帰分析**といいます。今回やりたい分析は気温と来場者数で販売を予測しようというもので、**重回帰分析**といいます。

"気温"という**1つの要因**だけで販売量を予測するので"**単**"
"気温"と"来場者"というように**複数の要因**で販売量を予測するので"**重**"なんですね。
単回帰分析では

販売量＝a×気温 ＋ b　(Y＝ aX ＋ b)

というような式で販売量を表しましたが、重回帰分析では

販売量＝a×気温 ＋ b ×来場者数 ＋ c (Y＝ aX$_1$ ＋ bX$_2$ ＋ c)

というように、要因が増えたぶんだけ付け加えていけばいいだけです。要因の数が増えれば

Y＝ aX$_1$ ＋ bX$_2$ ＋ cX$_2$＋ dX$_3$＋ eX$_4$＋ fX$_5$＋g

というように、要因を増やした式にします。

つまり、気温が1℃上がったら、ビールが何杯多く売れるか？　来場者が1人増えたら、ビールが何杯多く売れるか？を合わせて考えるわけですね。

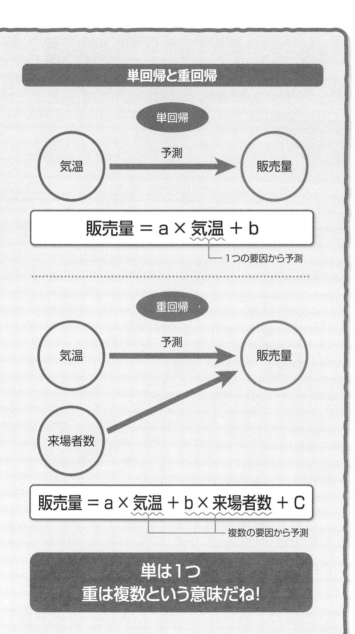

単回帰と重回帰

単回帰

気温 → 予測 → 販売量

$$販売量 = a × 気温 + b$$

└ 1つの要因から予測

重回帰

気温 → 予測 → 販売量

来場者数 → 販売量

$$販売量 = a × 気温 + b × 来場者数 + C$$

└ 複数の要因から予測

単は1つ
重は複数という意味だね!

9 Excelで重回帰分析をやってみよう

★☆☆

重回帰分析も2章で使った「分析ツール」を使って簡単に分析できます。

分析ツールを使って重回帰分析

❶重回帰分析.xlsxというファイルを準備します。（ダウンロードファイル）

❷ファイルを開き「データ」というシートを表示します。

> 販売量、気温、来場者数で1セットのデータだね!

❸[データ] タブの [データ分析] をクリックします。

❹ [回帰分析] をクリックし、[OK] ボタンをクリックします。

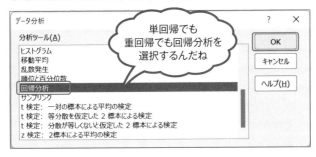

❺ [入力 Y 範囲 (Y)] に販売量データの範囲を設定します。

❻ [入力 X 範囲 (X)] に気温データと来場者データの範囲 (B1 セル〜C101 セルまで) を設定します。

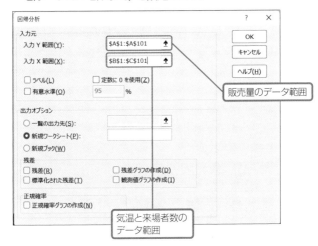

❼先頭のラベル (タイトル業) をデータ範囲に入れたので [ラベル] にチェックを入れます。

❽ [出力オプション] の [新規ワークシート] にチェックを入れて、シート名を入力 (今回は重回帰分析と入力) し、[OK] ボタンをクリックします。

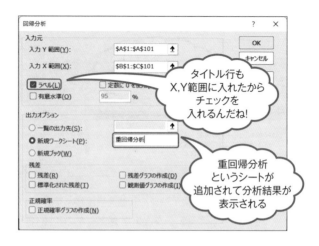

❾❽で入力した名前のシートに出力結果を表示されます。

単回帰分析結果と同じような分析結果が表示されていますが、一番下の表には切片、気温、来場者となっており、来場者の項目が追加されました。

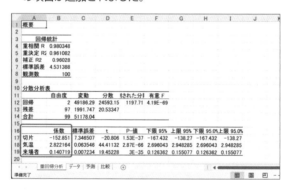

この結果から

$$販売量 = 2.82 \times 気温 + 0.14 \times 来場者数 - 152.85$$

という式で表すことができることがわかりました。

10 重回帰分析で 予測してみよう

★☆☆

それでは「販売量＝2.82×気温＋0.14×来場者数−152.85」
という式を使って販売量を予測してみましょう。

重回帰の結果を使って予測

❶「予測」というシートのA1セルに「気温」、B1セルに「来場者」、C1セルに「予測」と入力します。

❷B2セルを選択し、数式バーに「＝2.82＊A2＋0.14＊B2−152.85」と入力します。

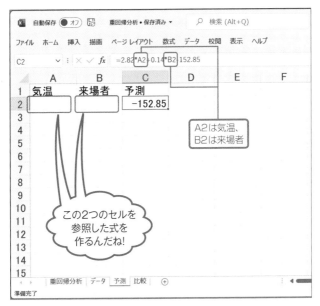

57

❸ A2セルに気温、B2セルに来場者数を入力すると、B3セル
に販売量の予測値が表示されます。

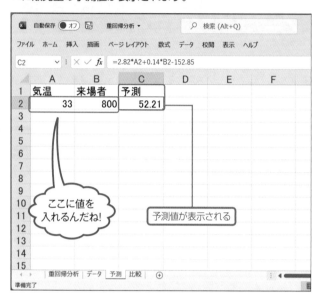

ここに値を
入れるんだね!

予測値が表示される

11 予測はどれくらい当たっている?

★☆☆

それでは、前章の単回帰分析で求めた回帰式と重回帰分析で求めた回帰式の当てはまりのよさを比べてみましょう。

実際のデータと予測値の比較

❶「比較」というシートのD2セル(単回帰の予測値)を選択し、数式バーに「=2.853＊B2-13.834」と入力します。

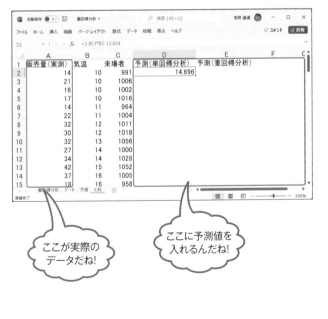

ここが実際のデータだね!

ここに予測値を入れるんだね!

❷シートのE2セル（重回帰の予測値）を選択し、数式バーに「=2.82＊B2+0.14＊C2-152.85」と入力します。

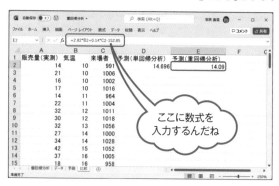

ここに数式を入力するんだね

❸D2〜E2セルの範囲を選択し、フィルハンドルをデータの最終行まで引っ張ります。

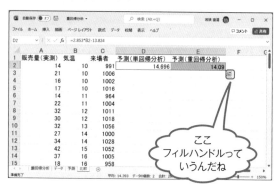

ここフィルハンドルっていうんだね

❹A列が実測値、D列が気温データだけを使った予測値、E列が気温と来場者数データを使った予測値になります。

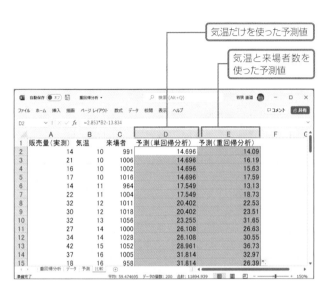

気温だけを使った予測値

気温と来場者数を使った予測値

❺数値だけを見てもなかなかわからないので、散布図を使って
それぞれの予測値の当てはまりを見てみたいと思います。
まずはA列を選択したのち、[Ctrl]キーを押しながら、D列を
選択します。[挿入]タブ➡[散布図]で実測値と予測値（単回
帰分析）の散布図を作成します。

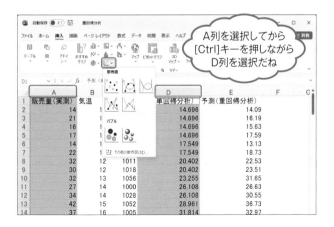

A列を選択してから
[Ctrl]キーを押しながら
D列を選択だね

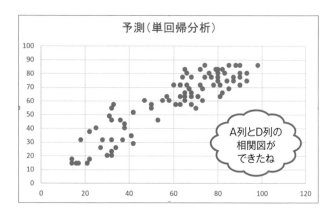

予測（単回帰分析）

> A列とD列の
> 相関図が
> できたね

❻A列を選択したのち、[Ctrl] キーを押しながら、E列を選択します。[挿入]タブ➡[散布図]で実測値と予測値（重回帰分析）の散布図を作成します。

> ❺と同じように
> 操作するんだね

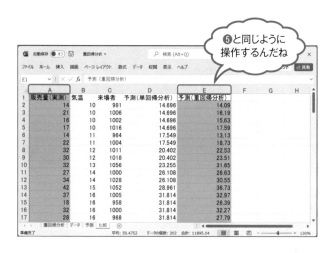

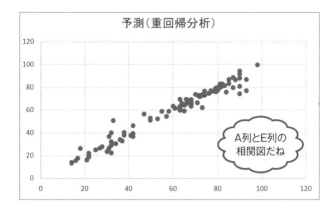

この2つの散布図をどのように見ればよいかというと、実測値と予測値が完全に一致していれば、45°の線になります。プロットされた点が45°の線からバラツキが大きいと当てはまりは悪く、バラツキが小さいと当てはまりがいいといえます。2つの散布図を見比べると、重回帰分析のほうが当てはまりいいといえます。つまり、気温だけでなく来場者予想も考慮して販売量を予測したほうが予測精度はいいということになりますね。予想気温や来場者予想があたるかどうかが問題になりますが……。

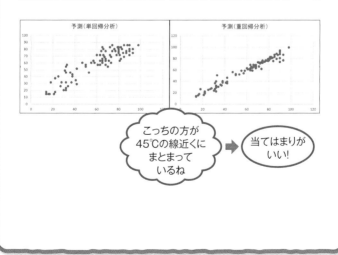

いろいろ関係しそうなのはわかるけど、欲張りは禁物！（多重共線性）

★★☆

さて、重回帰分析では要因の数をいくつも増やすことができました。重回帰分析を学んだ直後にありがちなことは"あれもこれも病"です。「うーん、あれも要因？　これも要因？　わかんないから、要因をいっぱい入れちゃえ！」となってしまうことです。

例えば、今回の例でいえば来場者数を要因にいれて、計算しました。そこに来場者数のうち大人の来場者数のデータも手に入ることがわかりました。大人の来場者数が増えれば当然ビールの売上も上がりそうです。そこで、大人の来場者数も要因に加えて重回帰分析をしてみようと思いました。（大人は来場者の中に含まれるので、この２つを重回帰分析の要因（説明変数）に使うことは普通はありません。）

気温、来場者数、大人の来場者数を使って販売量を予測する重回帰分析をした結果、それらしい結果は出たのですが、大人の係数を見てみると……マイナスの値です！大人の来場者が増えればビールの販売量は増えそうなのに、この分析結果だと大人の来場者が増えると販売量が減るということを意味しています。

ちょっと待ってください。来場者数は大人の来場者数と強い相関がありそうではないですか？　実は要因間に強い相関がある場合は、予測精度が低下します。この現象を**多重共線性**といいます。

なんだか堅苦しい言葉なので、世間では「**マルチコ**」という可愛い名前で通っています（multicollinearity：マルチコリニアリティを略した呼び方です）。

このような現象を防ぐために重回帰分析をする前に各要因同士の相関をチェックして、相関係数が

- 0.9 〜 1.0
- −0.9 〜 −1.0

と高い要因はどちらか一方だけを使うようにしましょう。

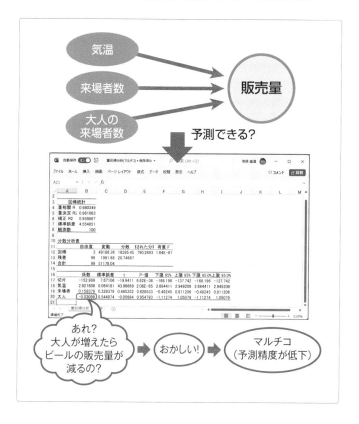

13 相関分析をして マルチコ対策！

★★☆

それでは、マルチコ対策の相関分析をしてみましょう。1章で使ったCORREL関数を使って各要因の相関係数を求めてもいいのですが、今回は分析ツールを使って相関係数を求めてみましょう。

マルチコ

❶重回帰分析（マルチコ）.xlsxというファイルを準備します。（ダウンロードファイル）

❷ファイルを開き「データ」というシートを表示します。

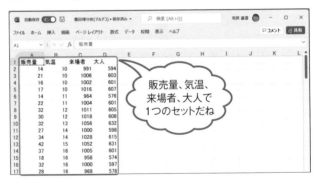

販売量、気温、来場者、大人で1つのセットだね

❸ [データ] タブの [データ分析] をクリックします。

いつものやつだね

❹ [相関] をクリックし、[OK] ボタンをクリックします。

❺ [入力Y範囲(I)] にA～D列の範囲を設定します。

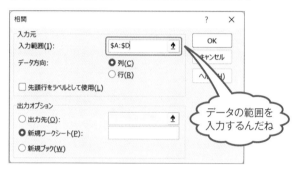

❻先頭のラベル (タイトル行) をデータ範囲に入れたので[ラベル] にチェックを入れます。

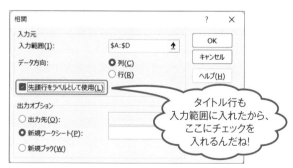

❼ [出力オプション] の [新規ワークシート] にチェックを入れて、シート名を入力 (今回は相関と入力) し、[OK] ボタンをクリックします。

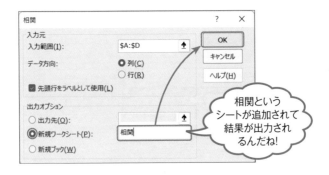

相関という
シートが追加されて
結果が出力され
るんだね!

❽❼で指定したシートに相関係数が表示されます。

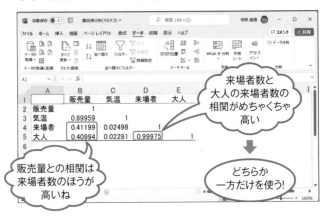

来場者数と
大人の来場者数の
相関がめちゃくちゃ
高い

どちらか
一方だけを使う!

販売量との相関は
来場者数のほうが
高いね

この結果を見てみると、やはり来場者と大人の相関が0.99と非常に高いですね。マルチコを防ぐために来場者か大人のどちらかを要因から抜きたいですね。その場合、販売量との相関を見て、来場者と大人では来場者のほうが販売量との相関が高いので、来場者数を要因として残すことにしましょう。つまり、最初に行った気温と来場者数を使った重回帰分析のままでよかったわけです。

第4章

数字じゃないデータを
数字に変換する

花子：「回帰分析って意外と簡単だね。これで予測に悩まな
　　　くてすむよ。」

一郎：「それは、よかった。花子さんも最近はよくエクセルで
　　　作業しているよね！　以前はパソコンを開いてもイン
　　　ターネットばかりやっていたのに……(笑)」

花子：「データ分析の楽しさがわかってきたからね！　そこで
　　　質問だけど、曜日とか天気で回帰分析ってできない
　　　の？　数字じゃないから、どうやって予測に取り入れ
　　　ればいいかわからなくてさ……」

一郎：「ダミー変数を使えばできるよ！」

花子：「ダミーヘンスウ？　また、新たな言葉が……」

一郎：「でも、ちょっと工夫した回帰分析だよ！」

花子：「そ、そうなんだ……　(不安)」

天候は数字じゃないけど売上に関係するよね？

　気温や来場者数は数字ですが、数字ではない要因もありますよね？

　例えば、「曜日」「天候」「月」などです。

　このような数字ではないデータを予測に取り込みたいときはどうすればいいのでしょうか？　答えは

> **無理矢理、数字にしてしまう！**

です。表のような天候のデータと売上のデータがあったとします。天候を数字にするといっても晴れを1、曇りを2、雨を3なんてことをしてはいけません。連続した数字にしてしまうと天候の点数みたいになってしまい、晴れが1点で雨が3点というよくわからないことになってしまいます。そこで、

　天候という1つの項目を晴れ、曇りという2つの項目に分割し、

> 晴れの場合は晴れの項目に1、曇りの項目に0
> 曇りの場合には晴れの項目0、曇りの項目に1

を入れます。つまり、

> 当てはまる場合は1、当てはまらない場合は0

を入れるような項目にするわけです。

このように数字ではない要因に対して当てはまるか、当てはまらないかの数字で表す項目のことを「**ダミー変数**」といいます。

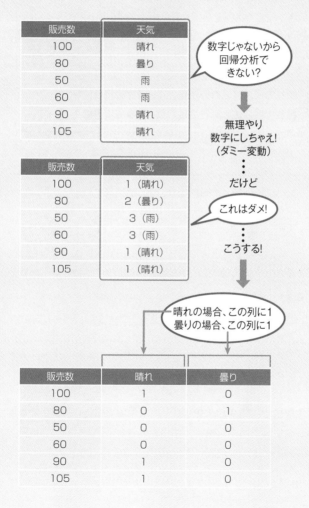

販売数	天気
100	晴れ
80	曇り
50	雨
60	雨
90	晴れ
105	晴れ

数字じゃないから
回帰分析で
きない?

↓

無理やり
数字にしちゃえ!
（ダミー変動）
⋮
だけど

販売数	天気
100	1（晴れ）
80	2（曇り）
50	3（雨）
60	3（雨）
90	1（晴れ）
105	1（晴れ）

これはダメ!
⋮
こうする!

↓

晴れの場合、この列に1
曇りの場合、この列に1

販売数	晴れ	曇り
100	1	0
80	0	1
50	0	0
60	0	0
90	1	0
105	1	0

えっ、雨のこと忘れてない？

　前ページの天候データには晴れ、曇り、雨の3種類のデータが入っていました。なのに、分割した項目には雨という項目がありません……。これでいいのでしょうか？　実はこれでいいのです。

晴れの場合は晴れの項目に1、曇りの項目に0
曇りの場合には晴れの項目0、曇りの項目に1

を入力し、

雨の場合は晴れの項目に0、曇りの項目に0

を入力します。そもそも今回の天候データは3種類しかありません。晴れでも曇りでもなければ、自動的に雨ということになるので、晴れと曇りの両方の項目に0を入力すれば、晴れでも曇りでもない、つまり雨ということになります。

　このようにダミー変数を使う場合は、通常、その項目に含まれるデータの種類が何種類あるか数えて、その数より1つ少ない数の項目に分割します。

　数字ではないデータを数字に変換できれば、前章までと同じように重回帰分析をすることによって、もともとは数字ではなかったデータを予測に反映することができます。

数量化Ⅰ類というかっこいい名前の手法もありますが、ダミー変数を使った重回帰分析とほとんど同じです。Excelで簡単にできるダミー変数を使った重回帰分析のほうが使いやすいでしょう。

販売数	晴れ	曇り
100	1	0
80	0	1
50	0	0
60	0	0
90	1	0
105	1	0

> 両方0だと雨だから
> 2項目でいいんだね!

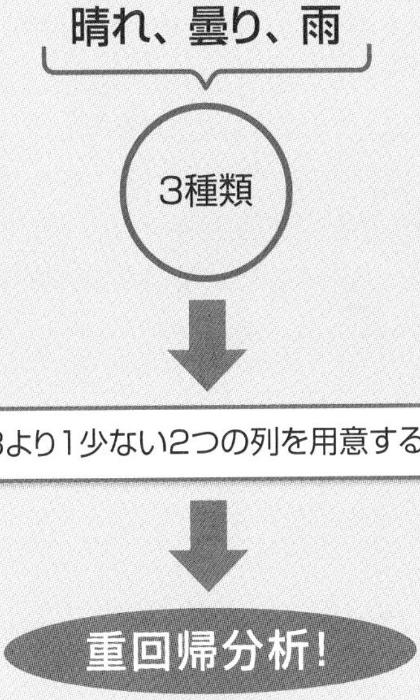

晴れ、曇り、雨

(3種類)

⬇

3より1少ない2つの列を用意する!

⬇

重回帰分析!

14 ダミー変数を使った重回帰分析をやってみよう！

★☆☆

それでは、実際にダミー変数を使った重回帰分析をやってみましょう！

重回帰分析（ダミー変数）

❶ダミー変数.xlsxというファイルを準備します（ダウンロードファイル）。

❷ファイルを開き「データ」というシートを表示します。

販売量、気温、天気のデータがあります。気温と天気から販売量の予測をしてみたいと思います。天気のデータが数値ではないので、前ページの要領で数値に変換します（今回はデータ変換というシートに変換してあります）。

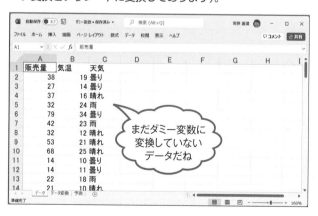

まだダミー変数に変換していないデータだね

❸「データ変換」というシートを表示します。

前ページと同じように晴れ・曇り・雨というデータなので、晴れ・曇りの列を作って、0,1が入力されています。なお、自分でデータ変換をする場合はIF関数を使うと便利です。

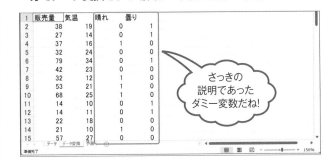

❹ [データ] タブの [データ分析] をクリックします。

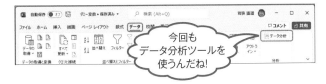

❺ [回帰分析] をクリックし、[OK] ボタンをクリックします。

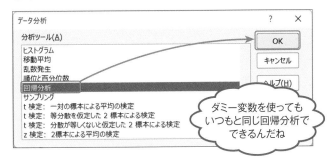

❻ [入力Y範囲(Y)] に販売量データの範囲を設定します。
❼ [入力X範囲(X)] に気温、晴れ、曇りのデータ範囲を設定します。

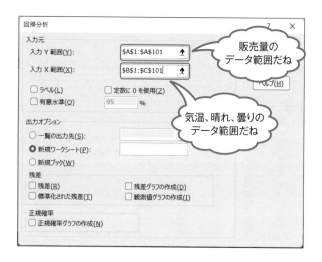

❽先頭のラベル（タイトル業）をデータ範囲に入れたので[ラベル]にチェックを入れます。

❾[出力オプション]の[新規ワークシート]にチェックを入れて、シート名を入力（今回は重回帰分析と入力）し、[OK]ボタンをクリックすると、回帰分析結果が表示されます。

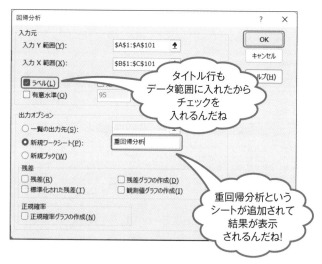

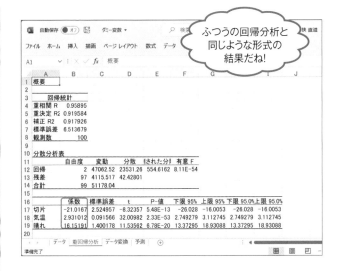

ふつうの回帰分析と
同じような形式の
結果だね!

❿前章までと同じように回帰式の数式を作れば、天気を考慮した予測ができます。

曇りに1が
入力されているから
曇りだね!

予測 = 2.93 × A2+23.63 × B2
　　　+12.57 × C2−28.26

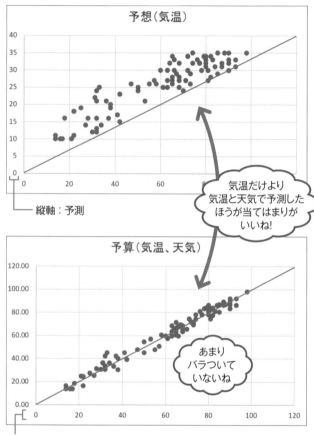

予想（気温）

縦軸：予測

気温だけより
気温と天気で予測した
ほうが当てはまりが
いいね！

予算（気温、天気）

あまり
バラついて
いないね

横軸：実売数

　前章と同じように予測値と実測値の散布図で予測の当てはまりの良さを比べてみると、気温だけで予測するより、天気も合わせて予測したほうが予測の当てはまりがいいですね。

　今回は簡単にするために来場者数は使っていませんが、来場者数を加えて重回帰分析することもできます。

第 **5** 章

どんな組み合せが
効果的？

トモコたちのグループは
女子学生けランチの商品企画で悩んでいました。

トモコ ：「さて、企画会議しよっか。」
二郎　 ：「女子学生って何に弱いの？　俺、男だからわかん
　　　　　ない……」
トモコ ：「やっぱりヘルシーって言葉に弱いかなぁ。」
社員1：「でも、デザート付きも捨てがたい。」
社員2：「学生だから値段もポイントだよね。」
社員3：「和洋中だとどれがいいのかなぁ。」
トモコ ：「結局、何が一番効果的かって話だよね……？」
部長　 ：「コンジョイント分析してみたら？」

女性の好みのランチは？

　皆さんは何かを購入する際にどんな基準で選んでいますか？　例えば、学食の女子学生向けランチメニューで考えてみましょう。

　ある女子学生が「ふだんのランチは価格が大事！　400円までしか払わない」と思っていても、ある日学食に行ってみると600円でとてもヘルシーなメニューがあったり、550円で自分の大好きなメニューがあったりして、結局は400円以上のランチを注文してしまった……。なんてことはよくあることです。

　「価格が一番大事」と思っていても、結局はいろんな組み合せを見て意思決定をします。

　そんなことも考えず、「いろんな女子学生に聞いたら、一番大事なのは値段だという意見が多かったから、安さ重視でメニューを考えよう！」と、安上がりなコロッケとウィンナー中心のランチを販売しても、きっと失敗するでしょう。

お客さんはどんな組み合せを望んでいる？

　それでは、どんな要因が考えられるでしょうか？
例えば

特徴　　　：おすすめ素材、ヘルシー、デザート付

メイン素材：肉、魚、野菜

ジャンル　：和食、洋食、中華

価格帯　　：400〜450円
　　　　　　450〜500円
　　　　　　500〜550円

というように4つの要因(特徴、メイン素材、ジャンル、価格帯)にそれぞれ3つの選択肢があるとしましょう。

　これらの組み合せの数は3×3×3×3＝81通りになります。この81通りについて、「注文したくない」「月に一度ぐらい注文したい」「2週間に一度ぐらい注文したい」「1週間に一度ぐらい注文したい」「1週間に数回注文したい」というアンケートを、30人の女子学生に実施したとします。

　この結果から女子学生は学食に何を望んでいるのか？　どのような組み合せがいいのか？　を分析してみましょう。

どんな組み合せが効く?

価格が一番大事!

でもヘルシーって言葉に弱い

お肉食べたいなあ

デザート付もいいなあ

1つの要因で決まるわけではない

アンケート調査をしてみよう!

要因

特　　徴	おすすめ素材、ヘルシー、デザート付
メイン素材	肉、魚、野菜
ジャンル	和食、洋食、中華
価 格 帯	400〜450円、450〜500円、500〜550円

81通りの組合せについて30人に
....

- 「注文したくない」
- 「月に一度ぐらい注文したい」
- 「2週間に一度ぐらい注文したい」
- 「1週間に一度ぐらい注文したい」
- 「1週間に数回注文したい」

で答えてもらった

まずはダミー変数に変換！

★☆☆

アンケート結果は下記のように数値に変換するとします。

回答	注文したい度
注文したくない	0
月に一度ぐらい注文したい	2.5
2週間に一度ぐらい注文したい	5
1週間に一度ぐらい注文したい	7.5
1週間に数回注文したい	10

全81通りの組み合わせごとに30人の「注文したい度」の平均値を求めます。その平均値を各組み合わせの「注文したい度」として重回帰分析をしてみます。特徴、メイン素材、ジャンル、価格帯は数値ではないので、ダミー変数を使って重回帰分析を行います。

ダミー変数を使うために4章で行ったようにダミー変数に変換します。

こだわり方は「おすすめ素材」「ヘルシー」「デザート付」の3種類の選択肢がありますが、「おすすめ素材」も0、「ヘルシー」も0のときは自動的に「デザート付」と決まってしまうので、「おすすめ素材」「ヘルシー」の2つだけ準備するんでしたよね！ 忘れてしまった方は4章に戻って復習してみましょう。

▼組み合わせごとの「注文したい度」を集計（30人平均）！

No	こだわり方	メイン	ジャンル	価格帯	注文したい度
1	おすすめ	肉	和食	400～450円	10
2	おすすめ	肉	和食	450～500円	7.5
⋮					
81	デザート付	野菜	中華	500～550円	2

▼ダミー変数に変換！

4章でやった
ダミー変数だね！

	こだわり方		メイン		ジャンル		価格		
No	おすすめ	ヘルシー	肉	魚	和食	洋食	400～450円	450～500円	注文したい度
1	1	0	1	0	1	0	1	0	10
2	1	0	1	0	1	0	0	1	7.5
⋮									
81	0	0	0	0	0	0	0	0	2

デザート付の列は
作らない

野菜の列は
作らない

中華の列は
作らない

500～550円の
列は作らない

30人の平均

16 各選択肢が"注文したい度"に与える影響は？

★★☆

実際に重回帰分析をしてみると、"注文したい度"は次のような式で表すことができます。

> 注文したい度＝ −0.37×[おすすめ素材]＋ 0.28×[ヘルシー]
> ＋3.89×[肉]＋1.02×[魚]＋2.41×[和食]＋2.22×[洋食]
> ＋2.78×[400−450円]＋ 1.57×[450−500円]

ここで要因ごとの係数を見ます。"こだわり方"でいうと、

> −0.37×[おすすめ素材]＋ 0.28×[ヘルシー]

という式になっているので、−0.37と0.28が係数ですね。実はもう1つ隠れている係数があります。"デザート付"の係数0です。この3つの係数は"こだわり方"の3つの選択肢が"注文したい度"に与える影響の大きさと考えることができます。

"おすすめ素材"の影響度	− 0.37
"ヘルシー"の影響度	0.28
"デザート付"の影響度	0

影響度は最大で0.28、最小で−0.37です。その差は0.65になりますが、この0.65という数字は"こだわり方"で何を選ぶかによって、これだけ"注文したい度"が変わるということなので、"こだわり方"という要因の影響度といえます。

要因の影響度はメイン素材が一番大きいので、メインの素材を何にするかということが"注文したい度"に影響してきます。

5

どんな組み合せが効果的？

各選択肢の影響度

なるほど係数を影響度と考えるわけだね!

要因

	こだわり方	メイン素材	ジャンル	価格帯
おすすめ	-0.37 最小	肉 3.89 最大	和食 2.41 最大	400〜450円 2.78 最大
ヘルシー	0.28 最大	魚 1.02	洋食 2.22	450〜500円 1.57
デザート付	0	野菜 0 最小	中華 0 最小	500〜550円 0 最小

選択肢

(ヘルシー、肉、和食、400〜450円)の組合せがベスト! 肉を食べたいけど、ヘルシーを気にしたいという葛藤が感じられますね!

	こだわり方	メイン素材	ジャンル	価格帯
最大	0.28	3.89	2.41	2.78
最小	-0.37	0	0	0
差	0.65	3.89	2.41	2.78

最大と最小の差が要因の影響度だね!

各要因の影響度

メイン素材の影響度が一番大きいね!

影響度

こだわり方　メイン素材　ジャンル　価格帯

17 Excelで影響度を調べてみよう！

★★☆

それでは、Excelを使って各要因がランチの「注文したい度」
に及ぼす影響度を調べてみましょう。

影響度

❶影響度変数.xlsxというファイルを準備します。（ダウンロードファイル）

❷ファイルを開き「データ」というシートを表示します。

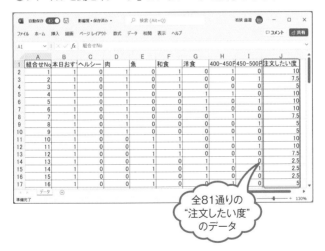

全81通りの
"注文したい度"
のデータ

5

どんな組み合せが効果的？

87

❸ [データ] タブの [データ分析] をクリックします。

❹ [回帰分析] をクリックし、[OK] ボタンをクリックします。

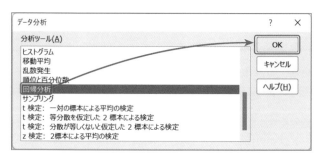

❺ [入力Y範囲(Y)] に "注文したい度" の範囲(J1〜J82)を設定します。

❻ [入力X範囲(X)] に要因データの範囲(B1〜I82)を設定します。

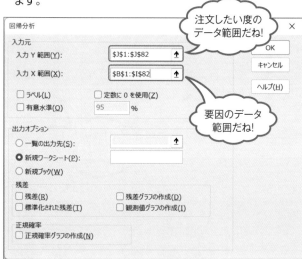

❼先頭のラベル（タイトル行）をデータ範囲に入れたので[ラベル]にチェックを入れます。

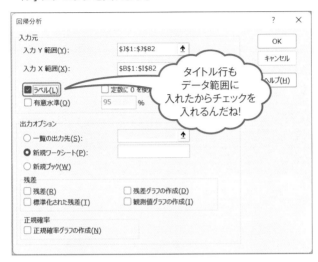

❽[出力オプション]の[新規ワークシート]にチェックを入れて、シート名を入力（今回は「影響度」と入力）し、[OK]ボタンをクリックすると、回帰分析結果が表示されます。

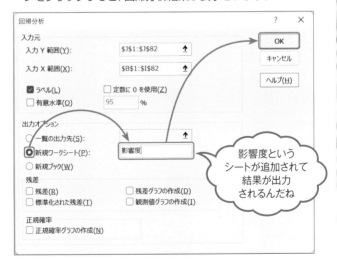

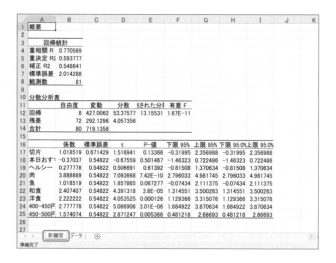

	A	B	C	D	E	F	G	H	I	J	K
1	概要										
2											
3		回帰統計									
4	重相関 R	0.770569									
5	重決定 R2	0.593777									
6	補正 R2	0.548641									
7	標準誤差	2.014288									
8	観測数	81									
9											
10	分散分析表										
11		自由度	変動	分散	された分	有意 F					
12	回帰	8	427.0062	53.37577	13.15531	1.67E-11					
13	残差	72	292.1296	4.057356							
14	合計	80	719.1358								
15											
16		係数	標準誤差	t	P-値	下限 95%	上限 95%	下限 95.0%	上限 95.0%		
17	切片	1.018519	0.671429	1.516941	0.13366	-0.31995	2.356988	-0.31995	2.356988		
18	本日おす	-0.37037	0.54822	-0.67559	0.501467	-1.46323	0.722486	-1.46323	0.722486		
19	ヘルシー	0.277778	0.54822	0.506691	0.61392	-0.81508	1.370634	-0.81508	1.370634		
20	肉	3.888889	0.54822	7.093668	7.42E-10	2.796033	4.981745	2.796033	4.981745		
21	魚	1.018519	0.54822	1.857865	0.067277	-0.07434	2.111375	-0.07434	2.111375		
22	和食	2.407407	0.54822	4.391318	3.8E-05	1.314551	3.500263	1.314551	3.500263		
23	洋食	2.222222	0.54822	4.053525	0.000126	1.129366	3.315078	1.129366	3.315078		
24	400-450円	2.777778	0.54822	5.066906	3.01E-06	1.684922	3.870634	1.684922	3.870634		
25	450-500円	1.574074	0.54822	2.871247	0.005366	0.481218	2.66693	0.481218	2.66693		
26											
27											

影響度 | データ | ⊕

準備完了

❾結果から係数の部分だけを抜き出し、ダミー変数にしなかっ
た選択肢の係数は0を入れておきます。

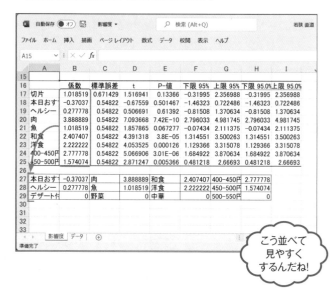

	A	B	C	D	E	F	G	H	I
15									
16		係数	標準誤差	t	P-値	下限 95%	上限 95%	下限 95.0%	上限 95.0%
17	切片	1.018519	0.671429	1.516941	0.13366	-0.31995	2.356988	-0.31995	2.356988
18	本日おす	-0.37037	0.54822	-0.67559	0.501467	-1.46323	0.722486	-1.46323	0.722486
19	ヘルシー	0.277778	0.54822	0.506691	0.61392	-0.81508	1.370634	-0.81508	1.370634
20	肉	3.888889	0.54822	7.093668	7.42E-10	2.796033	4.981745	2.796033	4.981745
21	魚	1.018519	0.54822	1.857865	0.067277	-0.07434	2.111375	-0.07434	2.111375
22	和食	2.407407	0.54822	4.391318	3.8E-05	1.314551	3.500263	1.314551	3.500263
23	洋食	2.222222	0.54822	4.053525	0.000126	1.129366	3.315078	1.129366	3.315078
24	400-450円	2.777778	0.54822	5.066906	3.01E-06	1.684922	3.870634	1.684922	3.870634
25	450-500円	1.574074	0.54822	2.871247	0.005366	0.481218	2.66693	0.481218	2.66693
26									
27	本日おす	-0.37037	肉	3.888889	和食	2.407407	400-450円	2.777778	
28	ヘルシー	0.277778	魚	1.018519	洋食	2.222222	450-500円	1.574074	
29	デザート付	0	野菜	0	中華	0	500-550円	0	
30									
31									
32									
33									

影響度 | データ | ⊕

準備完了

こう並べて
見やすく
するんだね!

⑩各要因で係数の最大値と最小値の差を求めます。

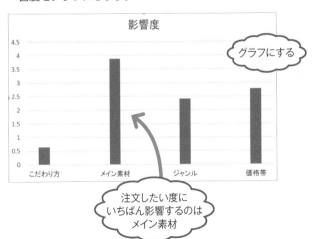

	係数	標準誤差	t	P-値	下限 95%	上限 95%	下限 95.0%	上限 95.0%
17 切片	1.018519	0.671429	1.516941	0.13366	−0.31995	2.356988	−0.	2.356988
18 本日おすゔ	−0.37037	0.54822	−0.67559	0.501467	−1.46323	0.722		
19 ヘルシー	0.277778	0.54822	0.506691	0.61392	−0.81508			
20 肉	3.888889	0.54822	7.093668	7.42E-10	2.796033			
21 魚	1.018519	0.54822	1.857865	0.067277	−0.074			
22 和食	2.407407	0.54822	4.391318	3.8E-05	1.3145			
23 洋食	2.222222	0.54822	4.053525	0.000126	1.129366			
24 400-450円	2.777778	0.54822	5.066906	3.01E-06	1.684922			
25 450-500円	1.574074	0.54822	2.871247	0.005366	0.481218	2.66		
26								
27 本日おすゔ	−0.37037	肉	3.888889	和食	2.407407	400-450円	2.777778	
28 ヘルシー	0.277778	魚	1.018519	洋食	2.222222	450-500円	1.574074	
29 デザート付	0	野菜	0	中華	0	500-550円	0	
30 最大	0.277778		3.888889		2.407407		2.777778	
31 最小	−0.37037		0		0		0	
32 差	0.648148		3.888889		2.407407		2.777778	
33								
34	こだわり方		メイン素材		ジャンル		価格帯	
35 影響度	0.648148		3.888889		2.407407		2.777778	

> Max、Minの
> 数式を使うと便利だよ
> 差のセルは引き算の
> 式を入れよう!

> これが各要因の
> 注文したい度に
> 及ぼす影響度だね

⑪⑩で求めた最大値と最小値の差を影響度として、各要因の影響度をグラフにします。

影響度

> グラフにする

> 注文したい度に
> いちばん影響するのは
> メイン素材

5 どんな組み合せが効果的?

先述したように（ヘルシー、肉、和食、400〜450円）の組み合わせがベストでメイン素材の影響の大きさが一番大きいことがわかりますね。また、価格帯は最大150円（550円〜400円）の価格の差ですが、メイン素材に次いで影響度が高いことから学生ではやはり150円でもかなり敏感になるということですね。

Column そんなにたくさんの組み合せの調査なんてできない……

　今回は4つの要因（特徴、メイン素材、ジャンル、価格帯）にそれぞれ3つの選択肢があり、すべての組み合せ（3×3×3×3＝81通り）の調査をしましたが、要因がもっと増えると全通りの調査は難しくなります。

　そこで、調査数を減らして、本章で扱ったような影響度の分析手法にコンジョイント分析というものがあります。

　コンジョイント分析では、直交表という表を使ってうまいこと調査する組み合せを減らし、各要因の影響度や良い組み合せを分析します。興味のある方はコンジョイント分析の参考書や実験計画法などの参考書をご参照ください。

第**6**章

儲けは出るのか？

アイス屋の店長を任されている三郎は
社長に呼び出されました。

社長：「最近、横井くんのお店であまり利益が出ていないよ。」
三郎：「す、すみません。」
社長：「君の店はいくつ売れたら儲けが出るの？」
三郎：「えっと、感覚的に100個以上ですかね……」
社長：「それはいかんよ。損益分析点ぐらい把握しておかな
　　　いと！」
三郎：「はい……、すみません。」

いくつ売れたら儲けが出るの？

「利益が出るか、損するか」は、いうまでもなくビジネスにおいて大変重要な点です。「これだけ売れれば利益が出る！」というシミュレーションは多かれ少なかれ行われます。そこで重要になるのが固定費と変動費という考え方です。

> 固定費とは販売量に関わらない費用
> 変動費とは販売量によって変動する費用

例えば、アルバイトを雇ったときの人件費は何個売れようが関係なく、1日単位や時間単位で計算されます。それに対して材料費は売れたぶんだけの材料費がかかります。この場合、人件費は固定費で材料費は変動費ですね。

固定費と販売個数の関係は図①のようなグラフになり、変動費と販売量の関係は図②のようなグラフになります。固定費と変動費を合わせた費用と販売量の関係は図③となります。（販売個数が0個の場合でも固定費がかかるわけですから、そこからどんどん変動費が上積みされていく感じですね。）

この費用のグラフに売上高（販売量×販売単価）も記入してみましょう。費用と売上高が交差する点が「**損益分岐点**」です。この点より左側だと費用のほうが売上高より大きく「損をするエリア」で、この点より右側だと費用より売上高のほうが大きいので「得をするエリア」になります。

固定費と変動費

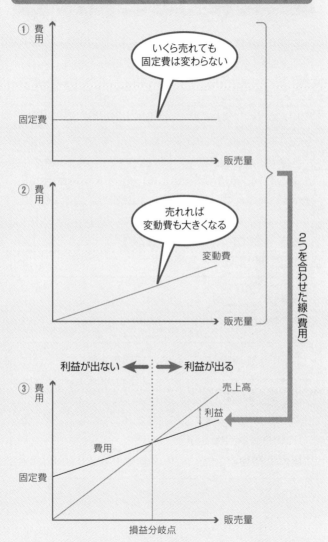

① 費用

いくら売れても
固定費は変わらない

固定費

販売量

② 費用

売れれば
変動費も大きくなる

変動費

販売量

2つを合わせた線（費用）

利益が出ない ← → 利益が出る

③ 費用

売上高

利益

費用

固定費

損益分岐点

販売量

方程式を解くと

　損益分岐点は費用と売上高を数式にして、方程式を解けば求まります。次のような例題で考えてみましょう。

【例題】

　ある店舗では1日の固定費は機材レンタル料や人件費を合計して1日当たり3万円、販売単価は1個500円、変動費は材料、容器代など合計して1個当たり300円だとします。この場合の費用と売上高は次のような式で表すことができます。

> 　　　　変動費　　　　　固定費
> 費用 ＝ 300円 × 販売量 ＋ 3万円
> 売上高 ＝ 500円 × 販売量

　損益分岐点は費用と売上高が同じになる点（費用＝売上高）ですので

> 300円×販売量＋3万円＝500円×販売量

を満たす販売量を求めればいいわけです。

> 200円×販売量＝3万円
> 販売量＝150

となり、損益分岐点は販売個数150個のときということになります。しばらく数式から離れていた人は「大人になってまで、方程式を解くのは……」という感じですよね……。そんな人はExcelに任せちゃいまいしょう。

損益分岐点

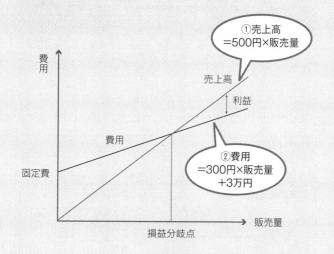

費用

①売上高
＝500円×販売量

売上高

利益

費用

②費用
＝300円×販売量
＋3万円

固定費

販売量

損益分岐点

150個
①と②の交わる点は
売上高＝費用
500円×販売量＝300円×販売量＋3万円
200円×販売量＝3万円
販売量＝150

18 Excelで損益分岐点を求めてみよう

★☆☆

Excelのゴールシークという機能を使うと、方程式を解くことができます。

損益分岐点

❶損益分岐点.xlsxというファイルを準備します。（ダウンロードファイル）

❷ファイルを開き「データ」というシートを表示します。

（固定費合計、変動費合計のセルには数式が入力されています。）

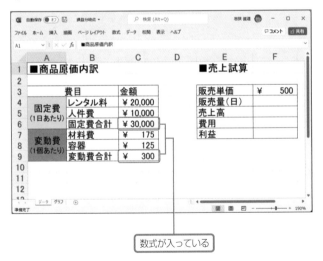

数式が入っている

❸販売量(日)に初期値として10をと入力します(この数字は
なんでもかまいません)。

何か値を入れる

❹F5セルに売上高の計算式を入力します。売上高は販売単
価×販売量なので、F5セルに「=F3＊F4」と入力します。

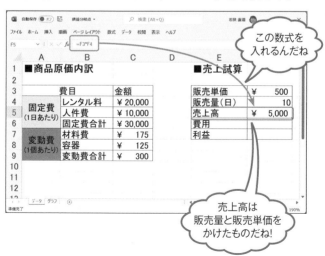

この数式を
入れるんだね

売上高は
販売量と販売単価を
かけたものだね!

❺F6セルに費用の計算式を入力します。費用は固定費＋変動費×販売量なので、F6セルに「=C6+C9＊F4」と入力します。

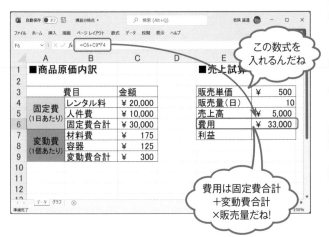

❻F7セルに利益の計算式を入力します。利益は売上高－費用なので、F7セルに「=F5-F6」と入力します。

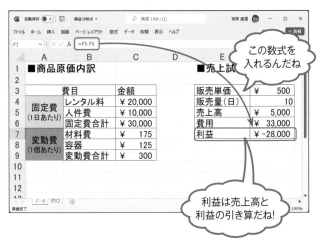

❼ [データ]タブの [What-If分析] ➡ [ゴールシーク] をクリックします。

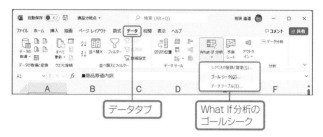

データタブ

What If分析の
ゴールシーク

❽ [数式入力セル] は利益の数式が入力されているセルF7セルを指定し、[目標値] は0、[変化させるセル]は販売量が入力されているF4セルを指定し、[OK] ボタンをクリックします。利益 (F7) が0になるように販売量(F4)をいろいろと変えてみるようにするわけです。❼で選択した [ゴールシーク] とはこのように、ある値 (今回は販売量) を変化させて、ゴール (今回は利益0)を探すという機能です。

❾ 「解答が見つかりました。」というメッセージボックスが表示されるのでOKボタンをクリックします。

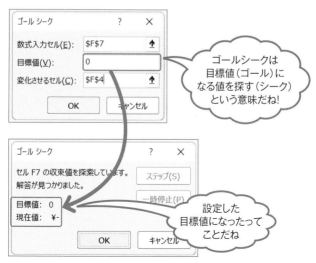

ゴールシークは
目標値（ゴール）に
なる値を探す（シーク）
という意味だね!

設定した
目標値になったって
ことだね

⓾利益(F7)が0[*1]になるように販売量(F4)が変化した結果が
表示されます。

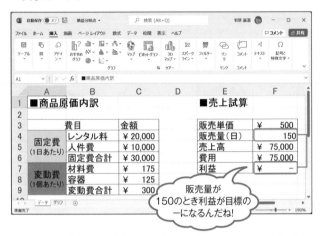

先ほど、販売量は方程式を解いて求めた150と同じ数値に
なっています。

それでは、売上高と費用のグラフも書いてみましょう。

⓫「グラフ」というシートを開き図のように販売量が0のとき
と、500のときの売上高と費用を入力します（数式を入力し
てもかまいません）。500は損益分岐点の販売量より大きな
数字であれば何でもかまいません。

A1〜C3セルの範囲を選択します。

⓬ [挿入] タブ➡ [グラフ] ➡ [散布図] ➡ [散布図 (直線)] を選択します。

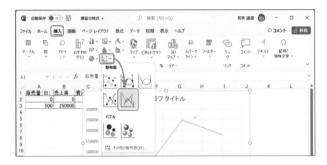

⓭ ⓬でグラフが作成されるので、[グラフのデザイン] ➡ [行/列の切り替え] をクリックします。

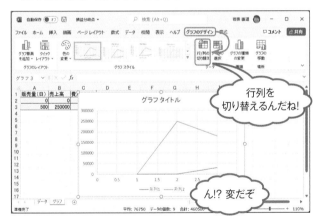

行列を
切り替えるんだね!

ん!? 変だぞ

＊1 セルの表示形式が「会計」になっているときは「0」ではなく「-」となります。

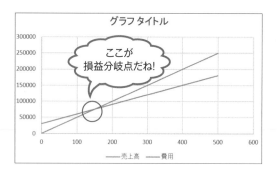

さて、いまのままでは1日当たり、150個を売らないと利益を上げることができないことがわかりました。この店舗は普段1日だいたい70個程度しか売れないので、利益を確保するためにいろいろと策を練らないといけなくなりました。

• 呼び込みなどでお客さんを増やす
• 値上げをする
• アルバイトを減らして固定費を削減する
• レンタル品を見直して固定費を削減する
• 材料を安価なものにして、変動費を削減する
• 容器を簡易なものにして、変動費を削減する

など、いろいろなシナリオがあるでしょう。これらの各シナリオを比較したい場合に[シナリオの登録と管理]という機能を使うと便利です。

> [シナリオの登録と管理]という機能は条件を
> 保存できる機能

で、例えば（販売単価550円、人件費5000円）（販売単価600円、人件費5000円）などの条件を記憶させておくことができます。まずは現状の条件を記憶させてみましょう。

19 シナリオを登録して比較してみよう

★★☆

それでは現状、損益分岐点、固定費を削減した状況をシナリオとして登録してみましょう！

シナリオの登録と管理

❶販売量の値（F4セル）を1日の平均販売量の70として入力し、下記の数値になるようにしておきます。

シナリオ：現状

レンタル料 C4	人件費 C5	材料費 C7	容器 C8	販売単価 F3	販売量 F4
¥20,000	¥10,000	¥175	¥125	¥500	70

いまの状況を"現状"という名前のシナリオで登録するんだね

6

儲けは出るのか？

105

❷[データ]タブの [What-If分析] ➡ [シナリオの登録と管理]
をクリックします。

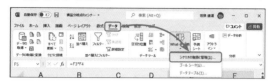

❸[追加]ボタンをクリックします。

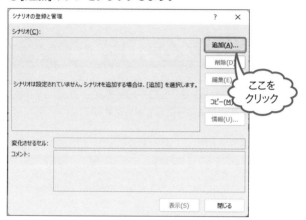

❹[シナリオ名]に「現状」と記入します。

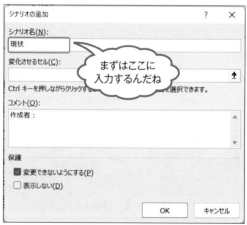

❺[変化させるセル]の入力欄をクリックし、[Ctrl]キーを押し
　ながらC4セル（レンタル料）、C5セル（人件費）、C7セル
　（材料費）、C8セル（容器）、F3セル（販売単価）、F4セル（販
　売量）をクリックし、[OK]ボタンをクリックします。

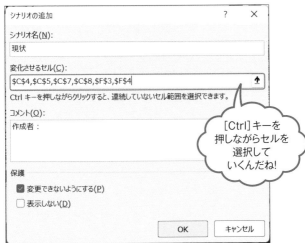

❻それぞれのセルの「現状」の値が入力されているか確認し、
　[OK]ボタンをクリックします。

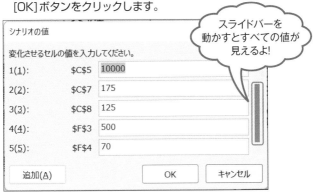

❼シナリオ登録の画面に戻れば、これで現状のシナリオの登録は
　完了です。[閉じる]ボタンを押せば、ウィンドウは閉じます。

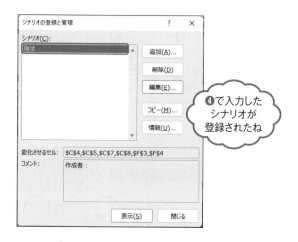

先ほどゴールシークで求めた販売量を損益分岐点150にして、「現状損益分岐点」という名前でシナリオ登録してみましょう。

❽各セルに下記の表の値を入力します。

シナリオ：現状損益分岐点

レンタル料 C4	人件費 C5	材料費 C7	容器 C8	販売単価 F3	販売量 F4
￥20,000	￥10,000	￥175	￥125	￥500	150

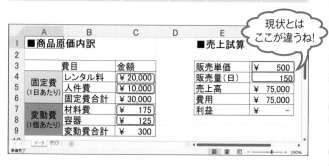

❾❷と同じように[データ]タブの [What-If分析] ➡ [シナリオの登録と管理] をクリックします。

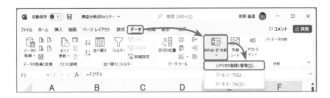

❿❸と同じように[追加]ボタンをクリックします。

⓫[シナリオ名]に「現状損益分岐点」と記入して、[OK]ボタンをクリックします。

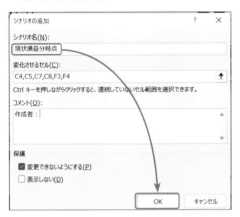

⓬それぞれのセルの「現状損益分岐点」の値が入力されているか確認し、[OK]ボタンをクリックします。

6

儲けは出るのか？

109

⓭ ❽〜⓬と同様の手順で下記の条件を「固定費削減」という名前で下記のシナリオ登録してみましょう。

シナリオ：固定費削減

レンタル料 C4	人件費 C5	材料費 C7	容器 C8	販売単価 F3	販売量 F4
¥7,000	¥5,000	¥175	¥125	¥500	70

現状は 2万 1万

これだけ固定費を削減した場合のシナリオを作るんだね

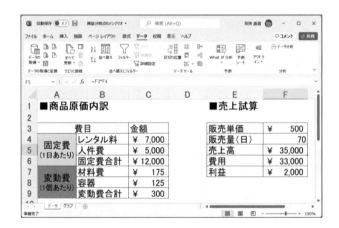

⓮ セルの値を変更しても、[データ]タブの[What-If分析]➡[シナリオの登録と管理]で表示したいシナリオを選択して、[表示]ボタンをクリックすれば、現状の数値が表示されます。

このような様々なシナリオを作っておいて、その状況で[ゴールシーク]機能を使えば、状況に応じたシミュレーションができるわけです。

⓯固定費削減をしたシナリオで、利益を2万円にしたいときはゴールシークで[目標値]を20000にして、[変化させるセル]を[$F$4]にして[OK]ボタンをクリックします。

⓰ゴールシークの目標値を達成するには160個販売しなければいけないことが表示されます。

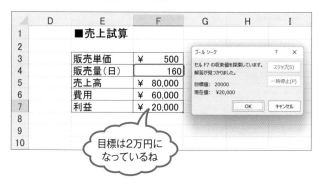

第7章

データの分布
(どれだけバラついている?)

○×商事の人事部に勤める四郎は、
課長に○×商事の全社員の1カ月の残業時間の集計を
頼まれていました。最近、ある社員から
「最近、残業時間が長くなった」との意見が聞かれ、
調査するためでした。

四郎：「課長、集計しました。今年度の月平均は19.8時間です。昨年度の月平均は20時間なので、ほとんどかわらないですね。むしろ0.2時間減っていますよ。」

課長：「う〜ん。そうだな。データのバラツキ具合を見たいからヒストグラムを見せてよ。」

四郎：「バラツキ具合?　ヒストグラム?」

課長：「そう、ヒストグラム。度数分布図のこと。平均だけじゃ判断できないでしょ?」

四郎：「???」

　たくさんのデータがあったら、すべてのデータが同じ値ということなんてほとんどありません。データはある程度バラついているはずです。例えばスーパーで売っているハンバーグも大きさはだいたい同じぐらいでも、すごく細かい単位までみたら、絶対に同じではないはずです。

　表は、ある薬品10リットル当たりに入っているAという成分の量(mg)だとしましょう。データを見るとだいたい56〜60mgぐらいでバラついているようです。このようにバラツキがあるデータがどのようにバラついているか（分布）を見るためによく使われる図が「**ヒストグラム**」（度数分布図）です。

　ヒストグラムは図のように"ある範囲にあるデータはいくつかを表現した棒グラフ"です。

　平均値というのはたくさんのデータを集計するときに、そのグループを代表する値として最もポピュラーですが、それだけではなかなか全体像が見えてきません。そこで、まずヒストグラムを描いてデータがどのように分布しているかを確認します。図のような分布ではヒストグラムを見ただけでも平均値は58ぐらいだとわかりますね。

▼薬品10リットル当たりに入っている成分Aの量

58.0	58.6	57.2	58.0	56.8	58.7	59.4	56.3	56.8	58.8
57.8	57.0	57.8	57.6	58.4	57.5	58.6	58.5	58.2	60.0
57.1	58.0	58.8	57.8	58.8	58.3	59.2	58.0	58.5	56.9
58.5	57.4	57.4	57.6	58.4	57.2	56.4	57.8	59.2	57.8
59.5	57.3	59.2	57.2	57.1	58.9	56.5	59.5	56.0	58.7
56.9	57.6	59.5	58.4	57.0	58.3	56.9	56.1	59.2	56.8
57.5	58.5	58.5	58.0	58.4	57.0	59.1	58.6	58.5	59.6
58.0	58.7	57.5	57.3	58.2	57.3	58.0	56.3	57.7	56.8
57.6	58.2	59.6	57.8	56.3	59.7	58.1	58.4	56.0	57.6
59.2	59.2	58.5	57.7	57.9	58.8	56.6	58.4	57.1	58.4

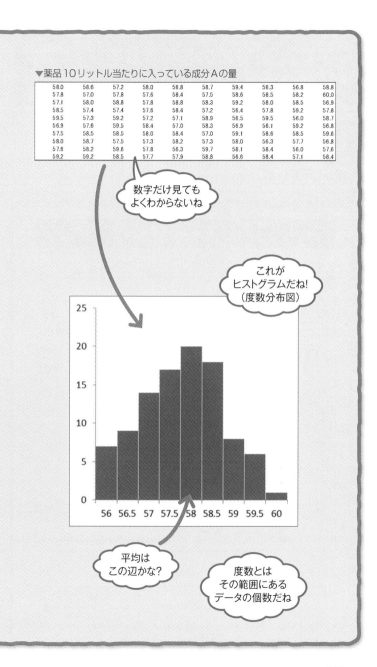

20 Excelでヒストグラムを作ってみよう！

★☆☆

章扉の内容で昨年度と今年度の残業時間のヒストグラムを作ってみましょう。

ヒストグラム

❶度数分布.xlsxというファイルを準備します。（ダウンロードファイル）

❷ファイルを開き「昨年度残業時間」というシートを表示します。

❸C列に図のように、10〜70の数字を10刻みで入力します。

❹[データ] タブの [データ分析] をクリックします。

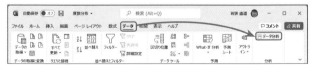

❺ [ヒストグラム] を選択し、[OK] ボタンをクリックします。

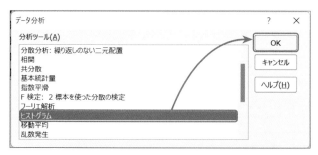

❻ [入力範囲 (I)] に残業時間のデータの範囲を設定し、入力範囲の1行目がラベル (タイトル行) なので [ラベル (L)] にチェックを入れます。

❼ [データ区間 (B)] に❸で入力した区間データの範囲を設定します。

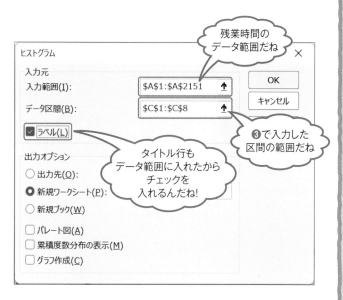

残業時間の
データ範囲だね

❸で入力した
区間の範囲だね

タイトル行も
データ範囲に入れたから
チェックを
入れるんだね!

❽ [出力先 (O)] にチェックを入れ、出力したい場所を入力します。

❾ [グラフ作成 (C)] にチェックを入れ、[OK] ボタンをクリックします。

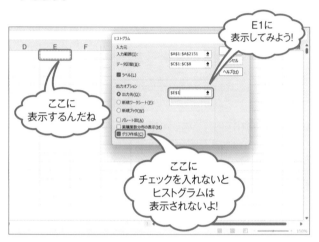

❿ヒストグラムが表示されます。

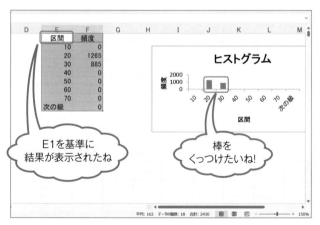

⓫ヒストグラム上の棒にマウスポインタを合わせて、右クリックします。[データ系列の書式設定(F)] をクリックします。

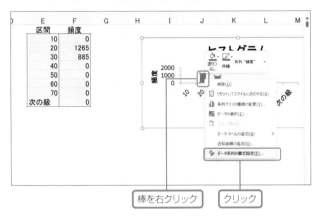

| 棒を右クリック | クリック |

⓬要素の間隔を「0%」にします。
⓭[塗りつぶしと色]のアイコンをクリックします。[塗りつぶし(単色)(S)] を選択し、色を「黒」に設定します。

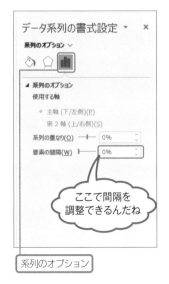

系列のオプション

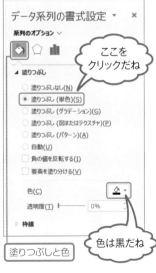

塗りつぶしと色

⓮下記のようなヒストグラムが完成しました。

　グラフをクリックすると角と辺に表示されるサイズ変更のハンドルをドラックしてグラフの大きさを整えます。

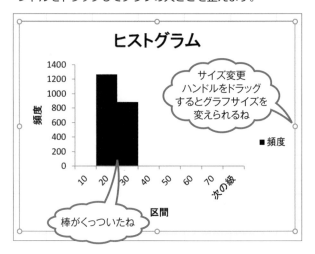

　20と書いてある区間は10より大きく20以下のデータの数を表しています。もしわかりづらいようであれば、下記のように区間の表示を書き換えて、わかりやすく工夫しましょう。

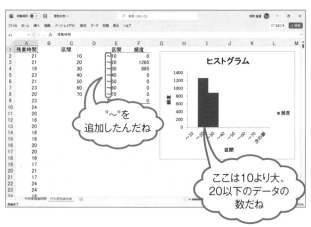

【練習1】

❶〜⓮のステップで同じように今年度のヒストグラムも作ってみましょう。

今度の残業時間のほうが広い範囲に分布しているね

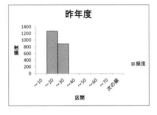

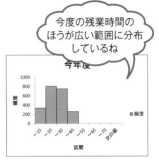

2つのヒストグラムを見比べると、今年度のほうが広い範囲に分布していますね。章扉で今年度のほうが平均値は小さいのに残業時間が長くなったという意見が多く聞かれたのは、昨年度に比べて全体的に残業時間が多くなったのではなく、残業時間の分布が広がり、一部の人の残業時間が増えてしまったためということですね。

【練習2】

先ほど作成したヒストグラムはデータを10刻みで集計したものでしたが、これだとちょっと大雑把すぎたかもしれません。データの最小値は15で最大値は25なのでその前後の区間もいれて、区間を14〜28を2刻みで設定して、下記のようなヒストグラムを作成してみましょう。

同じデータでも区間の設定でずいぶん見え方が違うね！

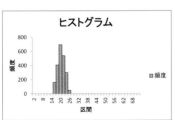

7

データの分布（どれだけバラついている？）

前ページの「練習1」では、昨年度と今年度のヒストグラムを比べましたね。そこで、さらに一昨年度の分布も比較に加えてみます。

　ここでは、Excelのデータ分析のヒストグラム作成機能で生データを集計した区間ごとの頻度データを使用し、Excelのグラフ作成機能を利用してヒストグラムを作ります。Excelのグラフ作成機能には、ヒストグラムというメニューもありますが、これを使うとExcelが対象のデータを自動的に区切ってグラフを作るので、異なる分布をしているデータを比較しづらくなります。なので、今回は既に区間ごとに集計されているデータを元にして、縦棒グラフを作り、それをヒストグラムにします。

　さらに、3年間のデータを1年ごとの箱ひげ図にして並べて見ましょう。箱ひげ図にして並べると、ヒストグラムに比べて各年度の分布を比較しやすくなるのがわかると思います。

縦棒で作るヒストグラム

❶「ヒストグラムと箱ひげ図.xlsx」というファイルを準備します（ダウンロードファイル）。

❷ファイルを開き「ヒストグラム」というシートを表示します。「一昨年度」「昨年度」「今年度」の3つのデータ（すでに区間ごとの頻度に集計されています）があります。

❸A1からB42までを範囲選択します。

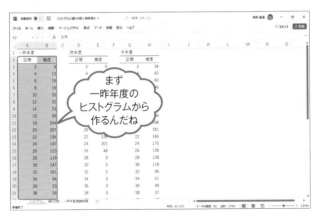

❹「挿入」タブの「おすすめグラフ」をクリックします。

❺「おすすめグラフ」タブの「集合縦棒」を選択し、「OK」ボタンをクリックします。

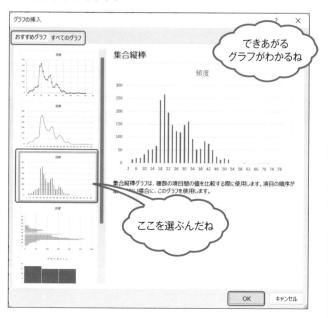

❻ヒストグラムが表示されます。

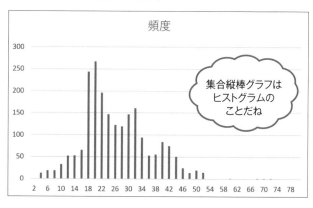

❼ヒストグラム上にマウスポインタを合わせて、右クリックします。「データ系列の書式設定(F)」をクリックします。

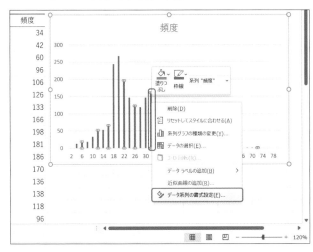

❽要素の間隔を「0%」にします。

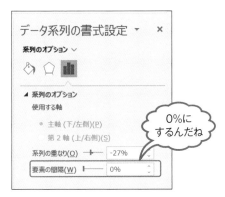

❾グラフの縦軸のいずれかの数値にマウスポインタを合わせて、右クリックします。「軸の書式設定(F)」をクリックします。

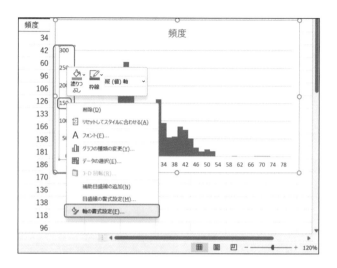

❿境界値の最大値を「800」にします。

境界値の最大値を
変更するのだね

⓫ 「一昨年度」のヒストグラムが完成しました。

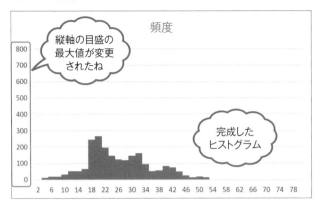

⓬ 「一昨年度」のヒストグラムと同じように、「昨年度」と「今年度」について❸～⓫を繰り返します。ただし、「昨年度」はD1からE42を、「今年度」はG1からH42を選択範囲とします。また、「昨年度」のグラフの縦軸の境界値は変更する必要はありません。

　ヒストグラムを並べて見ると、それぞれの年度の分布がよくわかります。どの区間の頻度が多いか、どれくらいの頻度があるのかなどがよくわかりますね。

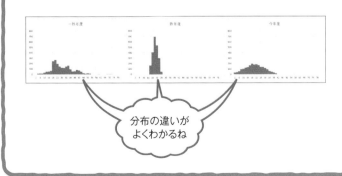

箱ひげ図を比較する

❶「ヒストグラムと箱ひげ図.xlsx」の「箱ひげ図」というシートを表示します。「一昨年度」「昨年度」「今年度」の3つのデータは、3年間の残業時間の生データです。

❷A列からC列を範囲選択します。

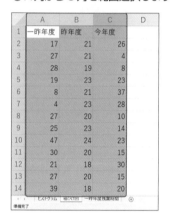

> A列からC列までを
> 範囲選択する

❸「挿入」タブの「おすすめグラフ」をクリックします。

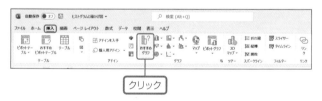

クリック

❹「すべてのグラフ」タブの「箱ひげ図」を選択し、「OK」ボタンをクリックします。

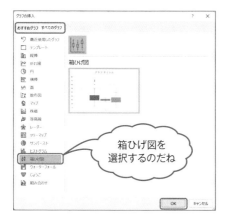

箱ひげ図を
選択するのだね

❺3つの箱ひげ図が並んだグラフが表示されます。

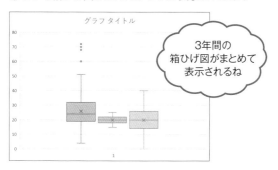

3年間の
箱ひげ図がまとめて
表示されるね

箱ひげ図を並べると、ヒストグラムではわからなかった分布の移り変わりが見えてきます。例えば、「今年度」と「昨年度」では、平均値はほとんど同じなのに、「今年度」の方が分布の幅が広いこと、一昨年度と比べると昨年度は残業時間がぐっと減った、などがわかります。

一昨年度の残業時間が多かったことで、管理職から「残業を減らせ!」指令が出たために、昨年度は一気に改善されたけれど、今年度はまた、元に戻りつつあるのかも? などと考察することもできそうです。

22 バラツキ具合を数値で表す ★☆☆

データのバラツキ具合はヒストグラムでだいたいわかります。バラツキのあるデータの集まりの推移は、箱ひげ図を並べて見ましょう。次はバラツキ具合を数値で表します。データのバラツキ具合を表す値が「**標準偏差**」です。標準偏差は後ろのほうでも結構でてくるので、ちゃんと覚えておきましょう。

標準偏差とは各データが平均値からどれくらい離れているかを計算し、平均したような数値です。

ここで、あと2つ単語「**母集団**」「**標本**」を覚えてください。

母集団（ぼしゅうだん）とは調査の対象とするグループ全体
標本（ひょうほん）とは母集団の中から抜き取ったもの

です。母集団の標準偏差を表す記号としてσ（シグマ）というギリシャ文字がよく使われます。標本から推定する母集団の標準偏差の場合はsというアルファベットがよく使われます。

「母集団の標準偏差」と「標本から推定する母集団の標準偏差」はExcelで計算する場合も関数が異なるので、注意しなければいけません。「何故違うのかって？」その説明は不偏推定量だのなんだと、説明が始まったとたん本を閉じてしまうと思うので、ここでは "そういうものだ" と受け入れましょう。

この言葉は覚えておこう!

バラツキ具合を数値で表したい!

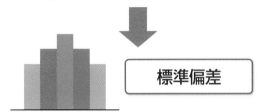

標準偏差

標準偏差って?

各データと平均値の距離の平均みたいなもの(正確には平均ではありませんが……) ➡ 各データが平均値からどのくらいバラツイているかの指標

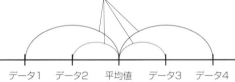

データ1　データ2　平均値　データ3　データ4

母集団と標本

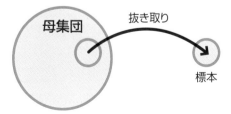

母集団　抜き取り　標本

23 Excelで平均と標準偏差を求めてみよう

★★☆

標準偏差は数式で表すと、数学が苦手な方には意味不明になるので、Excelの関数でサクッと計算してみましょう。

標準偏差

❶度数分布.xlsxというファイルを準備します。（ダウンロードファイル）

❷ファイルを開き「昨年度残業時間」というシートを表示します。

❸B1セルに「平均」、B3セルに「標準偏差」と入力します。

❹B2セルを選択し、[数式] タブをクリックし、[関数の挿入]
をクリックします。

❺AVERAGE関数を選択し、[OK] ボタンをクリックします。

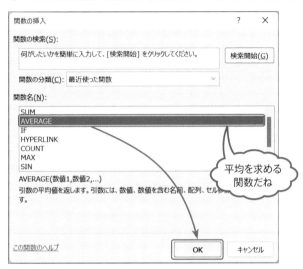

❻[数値1] でA列全体を範囲指定し、[OK] ボタンを押すと平
均が表示されます。

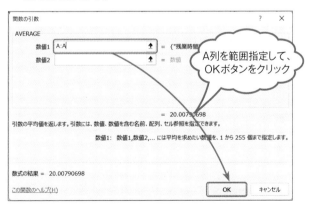

7 データの分布 (どれだけバラついている?)

平均を求めるAVERAGE関数はよく使うので、ここまでの作業はおなじみの作業ですね。さて、それでは標準偏差の求め方ですが、

・標本のデータから母集団の標準偏差を予測したいか
・データが母集団そのもので母集団の標準偏差を求めたいのか

で使う関数が異なります。

> 標本のデータから母集団の標準偏差を予測したい
> ➡ STDEV.S関数
> データが母集団そのもので母集団の標準偏差を求めたい
> ➡ STDEV.P関数

を使用します。

ここを間違えると
値が変わってしまう
から注意だよ!

　例えば、小学6年生男子の身長のバラツキを求めたい場合、

・各都道府県から無作為に数百名の小学6年生男子を抽出し、そのデータから全国の小学生の身長のバラツキを予測する場合はSTDEV.S関数を使います。

標本を
とっているからね

• 全国の小学6年生男子全員の身長のデータを集めてバラツキ
を求める場合はSTDEV.P関数を使います。

> 母集団
> だからだね

　本章冒頭の例では全社員の残業時間のバラツキを知るために
全社員のデータを集めたので、STDEV.P関数を使って母集団
の標準偏差を求めます。今後の説明ではSTDEV.P関数を使っ
て説明しますが、STDEV.S関数の場合も関数名が異なるだけ
で、使い方は同じなので割愛させていただきます。

❶ 先ほどの平均を求めたファイルでB4セルを選択し、数式タ
　ブをクリックし、関数の挿入をクリックします。
❷ [関数の検索] に「標準偏差」と入力して [検索開始] ボタン
　をクリックします。関数名に表示されたSTDEV.Pを選択し
　て、[OK] ボタンをクリックします。

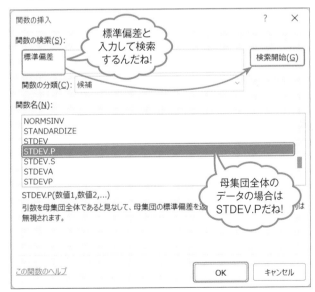

❸ [数値1] でA列全体を範囲指定し、[OK] ボタンを押すと標準偏差が表示されます。

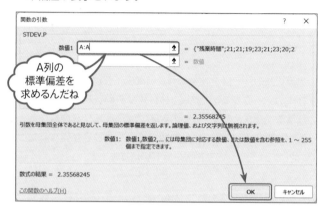

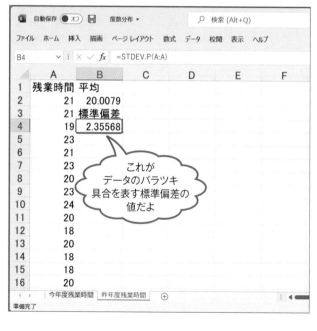

24 ふつうの分布、正規分布？

★★☆

さて、P121の練習2で作ったヒストグラムを見てみると、綺麗な釣鐘の形をしていますね。このような形の分布を正規分布といいます。正規分布と書くと直感的に意味がわからないと思いますが、英語でいうとNormal Distributionです。つまり、ふつうの分布ということです。一般的に多くの事象は正規分布になるといわれています。

本格的な統計のお話になると

t分布　　　χ^2分布　　　F分布

さらに、もっと難しいことをしようとすると

二項分布　　　ポワソン分布　　　パスカル分布 幾何分布　　　指数分布　　　アーラン分布 一様分布

など、様々な分布の話が出てきますが、本書では正規分布だけをしっかりと理解してください。正規分布を例にして、統計の世界の分布を使って話を進める感覚をつかめば、あとは詳細なことをそこまで理解しなくても何となくは話がわかるようになると思います。

正規分布

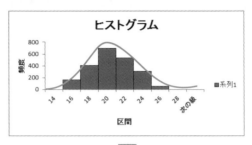

釣鐘の形をした分布

正規分布という

（世の中の多くの事象は正規分布になるといわれる）

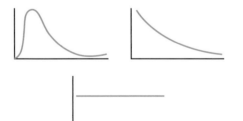

いろんな分布があるけど、
正規分布で統計の基本をおさえよう!

25 正規分布と標準偏差の おもしろい関係?

★★☆

正規分布と標準偏差には非常に面白い関係があります（この話は以後の章でもポイントになります）。その関係を説明する事前準備として、ちょっとヒストグラムに手を加えてみることにします。ヒストグラムは各区間にあるデータの数を棒グラフにしたものですが、これを "数" ではなく "割合" のグラフにしてみましょう。

図①のヒストグラムで一番多い区間のデータ数は24個です。これを割合にすると、全データ数が80個なので、

$$24 \div 80 = 0.3$$

となります。つまり30%ですね。これを全区間で割合に直してみると、図②のような形としては図①とまったく同じグラフが完成します。違うのは縦軸が度数か割合かだけですね。

図②は割合なのですべての棒の高さを足してみると100%になるはずです。図②のような棒グラフのちょっとした凸凹を無視して左右対称な滑らかな曲線を描いてみると、図③のようになります。この曲線のことを**正規分布曲線**と呼びます。これから先はこの正規分布曲線を使って説明していきますが、難しく考える必要はありません。

●正規分布曲線のポイント
・正規分布の形（釣り鐘型）をした曲線
・度数ではなく、割合で表現している
・割合だから曲線の中の面積は1（100%）

ヒストグラムを割合で表す

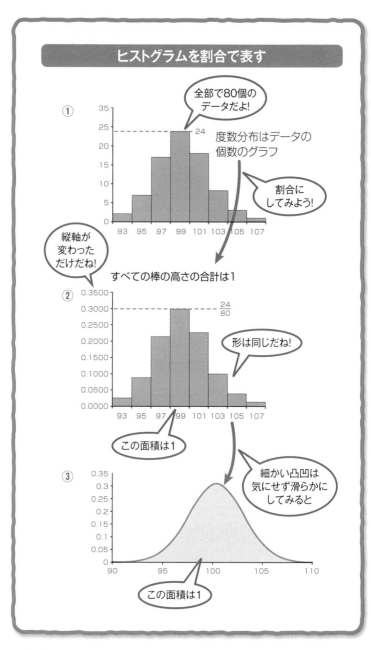

① 全部で80個のデータだよ!

度数分布はデータの個数のグラフ

割合にしてみよう!

縦軸が変わっただけだね!

すべての棒の高さの合計は1

② 形は同じだね!

この面積は1

③ 細かい凸凹は気にせず滑らかにしてみると

この面積は1

区間間の確率を求める

　正規分布曲線に近い分布があるとして、その平均と標準偏差がわかっているとします。すると、平均と標準偏差だけで、ある区間間に何%の値があるかを知ることもできます。

　例えば、今年度残業時間の分布で、24時間から34時間には何%の人がいるのかを計算することができます。もちろん、この面倒そうな計算は、Excelの専用の関数（NORM.DIST関数）を使って計算します。

❶「ヒストグラム.xlsx」の「今年度ヒストグラム」というシートを表示します。このシートには、すでに今年度の残業時間のデータを使ってヒストグラムが作られています。

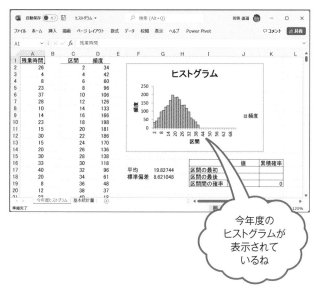

今年度の
ヒストグラムが
表示されて
いるね

❷NORM.DIST関数を使って、正規分布曲線の最下位から指定
した値までの区間の累計確率を求めます。[数式]タブの[関
数の挿入]をクリックします。

❸[関数の検索 (S)]に「NORM」と入力して[検索開始]ボタン
をクリックします。[関数名]に表示されたNORM.DIST関数
を選択して、[OK]ボタンをクリックします。

❹[X]ではJ17セルを選択しますが、J17セルには、まだ値が入力されていません。これは、関数を設定した後にJ17とJ18に入力する値を使って関数が計算するようにしているからです。

❺[平均]では、基本統計量で計算した平均値が入力されているセル（G17）を設定します。このとき、G17セルをクリックしてからF4キーを押して、G17を絶対参照します。すると、セル参照の表示が「$G$17」となります。同じように、[標準偏差]ではG18セルを絶対参照で設定します。

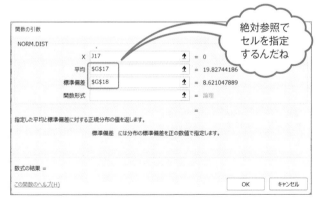

❻[関数形式]では、「TRUE」を入力し、[OK]ボタンをクリックします。すると、累積確率が表示されます。

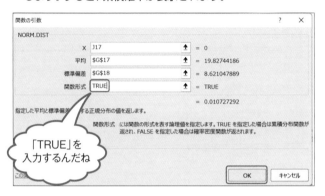

❼K17セルの右下のフィルハンドルをすぐ下のセル（K18）までドラッグします。すると、K17の関数式がK18にもコピーされ、K18にも累積確率が表示されます。

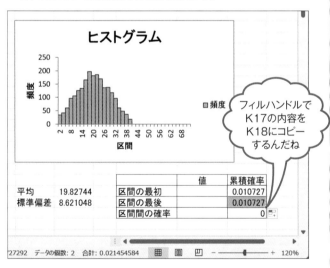

❽次に「区間間の確率」を計算します。K19セルを選択し、「=K18-K17」と入力します。

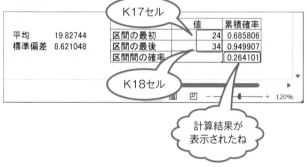

	値	累積確率
平均　　19.82744	区間の最初		0.010727
標準偏差　8.621048	区間の最後		0.010727
	区間間の確率		=K18-K17

K19セル

❾これで計算の準備はできました。J17セルに「24」を、J18セルに「34」を入力すると、K19セルに計算結果が表示されました。

K17セル

	値	累積確率
平均　　19.82744	区間の最初	24	0.685806
標準偏差　8.621048	区間の最後	34	0.949907
	区間間の確率		0.264101

K18セル

120%

計算結果が表示されたね

　今回は、今年度の残業時間のデータを使って、残業時間24時間から34時間の間の人の割合を計算しました。これによると、約26％の人が34時間〜24時間の残業をしていたことがわかりました。

　J17とJ18の値を変えると、簡単に指定区間の人の割合が計算できます。例えば、36時間以上残業している人の割合が知りたければ、J17セルに「35」、J18セルに大きな数（例えば「100」）を入力します。

正規分布曲線の山の面積は必ず1（100%）になるので、

・バラツキが大きい場合は山の裾野が広くなり、
　高さが低くなる
・バラツキが小さい場合は山の裾野が狭くなり、
　高さが高くなる

というようにバラツキの具合により、山の形状が変わります。しかし、正規分布というものは標準偏差（σ）を基準に考えると面白い性質があり、

　正規分布であればどんな形状でも、山の中央（平均値）から標準偏差分だけ離れたところまでの面積は全体の34.13%で一定なのです。

　同じように中心から標準偏差何個（何σ）ぶん離れているかで、表1のように面積が決まってしまいます。これが正規分布と標準偏差の面白い関係です。
　「だから、何？」って思うかもしれませんが、これが結構大事なことなんです。世の中の多くのことが正規分布に従うとされています。もし、自分の調べたいデータが正規分布で平均値も標準偏差もわかれば、どれだけの範囲に何％のデータが入っているかがわかることになります。
　次ページで詳しく見ていきましょう。

正規分布と標準偏差

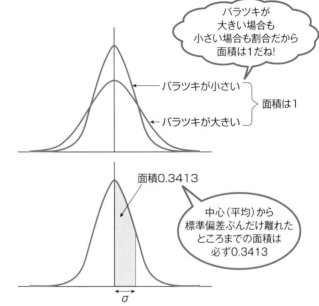

バラツキが大きい場合も小さい場合も割合だから面積は1だね!

← バラツキが小さい

← バラツキが大きい

}面積は1

面積0.3413

中心(平均)から標準偏差ぶんだけ離れたところまでの面積は必ず0.3413

σ

▼表1

中心からどれだけ離れているか	斜線部面積
0 σ	0
0.5 σ	0.1915
1 σ	0.3413
1.5 σ	0.4332
2 σ	0.4773
2.5 σ	0.4938
3 σ	0.4987
∞	0.5

標準偏差何個ぶん離れているかで面積が決まるんだね!

正規分布と割合

　正規分布の中心 (平均値) から何 σ 離れているかで面積がわかります。また、正規分布は左右対称なので前ページの表から読み取ると

> 0.3413を2つぶんで
> 0.6826だね

平均値 $-\sigma$ ～平均値$+\sigma$　　に 68.26％のデータがある

平均値 -2σ ～平均値$+2\sigma$　に 95.45％のデータがある

平均値 -3σ ～平均値$+3\sigma$　に 99.74％のデータがある

ということになります。このことを頭に入れて、次の問題を考えてみましょう。

【練習】

　20代女性の一日当たりの摂取カロリーの分布は正規分布に従い、平均は2000kcal、標準偏差は200kcalだったとします。その辺を歩いている20代女性の一日の摂取カロリーはだいたいどのくらいの範囲に入っているでしょうか？

　平均値 $\pm 3\sigma$ の間には99.74％のデータがあるはずです。平均も標準偏差もわかっているので、下記の様に平均値 $\pm 3\sigma$ の値を計算することができます。

平均値 $-3\sigma=2000-3\times200=1400$

平均値 $+3\sigma=2000+3\times200=2600$

20代女性の99.74%は1日当たりの摂取カロリーが1400〜2600kcalの間にあると考えることができます。その辺の20代女性に適当に声をかけて1日の摂取カロリーを調べてみたら、99.74%の確率で1400〜2600kcalであると考えられます。

　逆に1400kcal未満や2600kcalより多い20代女性に出会う確率は0.26%ぐらいしかないということです。

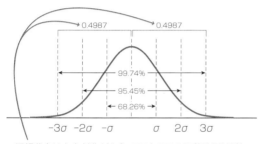

正規分布は左右対称だから、こことここの面積は同じだね

20代女性の1日の平均摂取カロリーは
2000kcal
標準偏差は200kcalだとする

-3σ〜3σ
↓
1400〜2600kcal

その辺を歩いている20代女性の
1日の摂取カロリーは99.74%の確率で
1400〜2600kcalの間にある。

MEMO

第 8 章

検定
（それって誤差だろ！に反論）

化粧品会社で働くヨウコは、
いまいち売上が伸びない30代女性向け製品の
改良を変更することを検討していました。
そこで、モニターを集めて行ったアンケート結果を持って
部長に報告に行きました。

ヨウコ：「部長、アンケートで新製品の平均点のほうが良
　　　　かったので、新製品をこのまま発売しようと思いま
　　　　す！　これがデータの資料になります！」
部長　：「この評価の違いは"誤差"ではなく、"本当の違い"
　　　　と判断していいんだよね？」
ヨウコ：「どうやって、そんなことわかるのですか？」
部長　：「検定というのをやればいいんだよ。」

検定ってなんだ？

　部長のいう検定というのは理論的に "違いがある" ことなのかどうなのかを判断するものです。検定にはt検定、F検定、χ^2検定……などいろいろあり、状況に応じて使い分けます。

　それでは、何を基準に "違いがある" といっているのでしょう。次のように考えることはできないでしょうか？

　滅多に起こらない差が生じた？
　YES ➡ 違いがある。何か違うことが起きている。
　No　➡ たいした違いではない。誤差。
　と考えてみましょう。

「そんなの誤差だろ！」に反論する

　ただ、"滅多に起こる、起こらない" というのも曖昧ですね…

　そこで、手がかりになるのが、前章で勉強した分布の特性です。覚えていますか？「**正規分布の中心から何 σ 離れているかで面積（確率）が決まる**」というアレです。

　中心から $\pm 3\sigma$ 離れたところより外側のことなんて、発生確率が1％未満です。発生確率が1％なんて "滅多に起こらない" ことですよね？

　検定というのはこのように、分布の特性を使って、発生確率がある基準（通常1％か5％）より小さければ「滅多に起こらないことが起きた！」「これは誤差ではなく、何かがいつもと違うことが起きているぞ！」　と判断することだとイメージしてください。

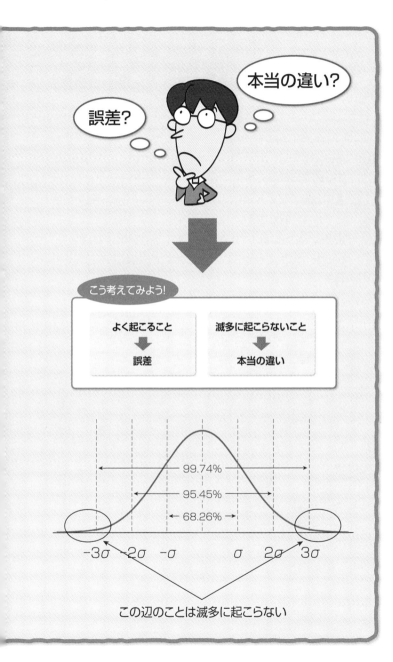

検定のすご～く大雑把なポイント

　平均値の分布や、正規分布の加法性、t分布など小難しい話はなしにして、ポイントは

・統計的な分布がある
・その分布で基準を決めて滅多に起こらないことが起きたかどうかを判断できる
・滅多に起こらないことが起きたら、それは誤差ではなく、きっと本当に何か違うことが起きているのだろうと考えられる

といったことだけ覚えておきましょう。
　t検定だのF検定だのいろいろありますが、t分布やF分布といった"統計的な分布"があって、その分布の中で、正規分布のときのように、"滅多に起こる、起こらない"を判断できるわけです。どんなときに何検定を使うかを知っておけば、Excelが検定をしてくれます。詳しい内容は検定という作業に慣れてから、ちゃんとした専門書で勉強してください。

　また、本来は使うべきである帰無仮説、対立仮説、棄却という言葉は、私の経験上、わけがわからなくなる人が多いので、使わないことにします。悪しからず。

検定のポイント

統計的な分布がある

その分布で基準を決めて
滅多に起こらないことが起きたかどうか判断

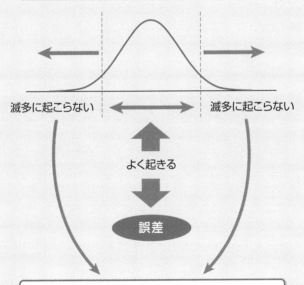

滅多に起こらない　　　　　　　　　　滅多に起こらない

よく起きる

誤差

こんなレアなことが起きたということは
誤差とは考えづらいよね！

新製品の評価と従来品の評価というように2つのグループに差があるのか？　を知りたいときは「2グループ間の平均値の差の検定」という検定を使います。2つのグループの平均値の差が滅多に起こらないぐらいの差なのかどうかを調べるわけです。具体的にはExcelのデータ分析の機能にあるt検定という検定を使います。それでは、Excelでt検定を体験してみましょう。

20人の被験者に、ある方法で新製品と従来品の評価を100点満点で行ってもらいました。新製品の評価と従来品の評価に差があるのかを調べてみます。

検定

❶t検定（対応あり）.xlsxというファイルを準備します。（ダウンロードファイル）

❷ファイルを開き「データ」というシートを表示します。

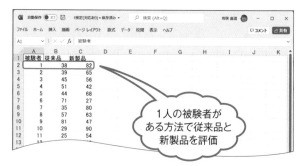

1人の被験者が
ある方法で従来品と
新製品を評価

❸ [データ] タブの [データ分析] をクリックします。

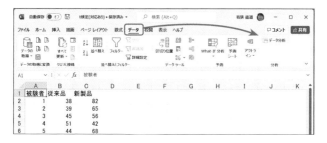

❹ [t検定：一対の標本による平均の検定]を選択します。

❺ [変数1の入力範囲] に従来品のデータ範囲を入力します。
❻ [変数2の入力範囲]は新製品のデータ範囲を入力します。

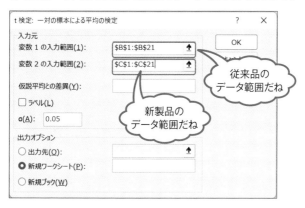

❼先頭のラベルをデータ範囲に入れた場合、[ラベル]にチェックを入れます。

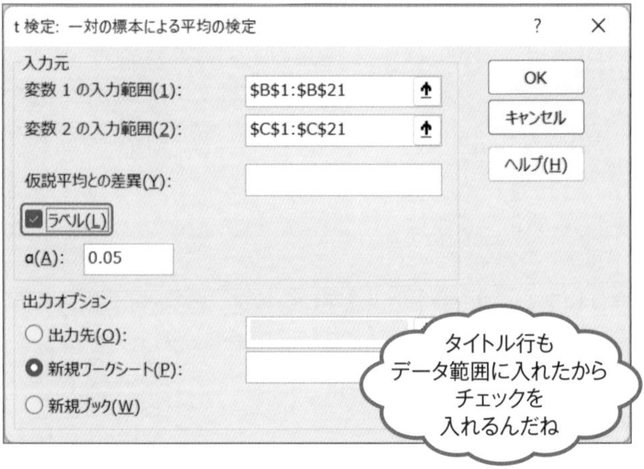

タイトル行も
データ範囲に入れたから
チェックを
入れるんだね

❽[新規ワークシート]にチェックを入れ、「検定結果」と入力して、[OK]ボタンをクリックします。

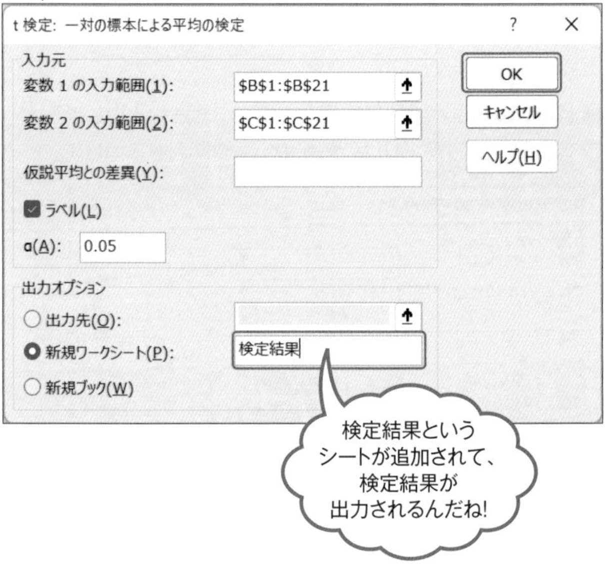

検定結果という
シートが追加されて、
検定結果が
出力されるんだね!

❾検定結果が表示されます。

結果の中にP(T<t)片側だのt境界値片側だのいろいろと難しそうなことが書いてありますが、今回の場合は "P(T<t)両側"が0.05より小さいかどうかを確認します。

"P(T<t)両側"が0.05より小さい ➡ "差がある"といえる
"P(T<t)両側"が0.05より大きい ➡ "差がある"といえない

となります。今回はP(T<t)両側の値が0.185です。残念ながら新製品と従来品の差があるとはいえないようですね。「"P(T<t)両側"って何だ？」「0.05はどこから出てきたんだ？」という疑問は残るでしょうが、手順としてはたったこれだけです。

次に、"P(T<t)両側"や0.05のことを説明していきましょう。

8

検定（それって誤差だろ！ に反論）

29 P値ってなんだ？

★☆☆

"P(T<t) 片側" や "P(T<t) 両側" はP値（ぴーち）と呼ばれている値です。

　P値とは2つの集団が同じだとしても、観測された程度の差が生じる確率です。すごーく簡単にいってしまうと……

　　今回の調査結果ぐらいの差が生じる確率

　その確率が0.05（5%）より小さいかどうかを確認したわけです。0.05は本文152ページで述べた "滅多に起こらないこと" の基準だったわけでね（この基準のことを有意水準といいます）。

　今回の場合、"P(T<t) 両側" の値が0.19でした。つまり今回の調査結果ぐらいの差が生じる確率は19%あるということになります。調査を100回やったら19回も発生しそうなことであれば、これくらいの差は結構、頻繁に起こることといえそうですね。ということは

　　これくらい、誤差じゃない？
　　➡差があるとはいえないね

となるわけです。今回の場合はP値が基準（有意水準）の0.05より大きいので残念ながら新製品と従来品の評価に差があるとはいえません。

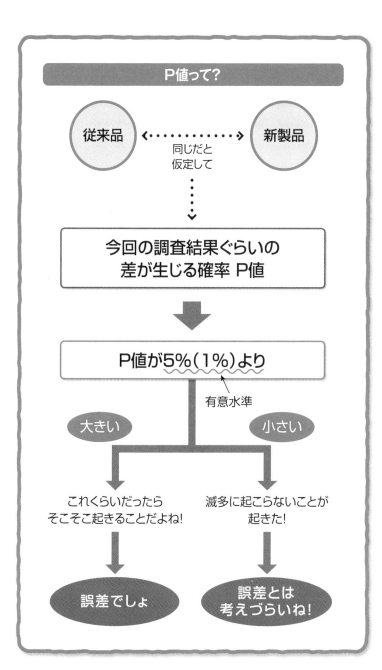

30 P値が有意水準より 小さかったら…

★★☆

前ページの検定結果ではP値が有意水準の0.05より大きかったので新製品と従来品の評価に差があるとはいえませんでした。それでは、P値が0.05より小さい場合はどうでしょうか？　結論からいうとご想像のとおり

> 新製品と従来品の評価に差がある

と判断できます。前ページで述べたとおり、P値はすごく簡単にいうと「今回の調査結果ぐらいの差が生じる確率」ですから、もし、"P(T<t)両側" の値が0.02であれば、今回の結果程度の差が生じる確率は2%です。100回中2回いう滅多に起こらないことが起きたので、

> 「何かいつもと違う事が起きている」➡「誤差じゃないね」
> ➡「差があるね」

という考えになります。

　統計学的に確かに差があることを、「有意差がある」といいます。検定の結果は

> 「P=○○なので、5%水準で有意差が認められる
> （or 認められない）」

という書き方をします。

例1) P値が0.19、有意水準5%(0.05)の場合
P=0.19なので、5%水準で有意差が認められない

例2) P値が0.02、有意水準5%(0.05)の場合
P=0.02なので、5%水準で有意差が認められる

　今回は判定基準を5%(0.05)としましたが、基準を厳しめにする場合は、よく1%(0.01)のという有意水準を使います。

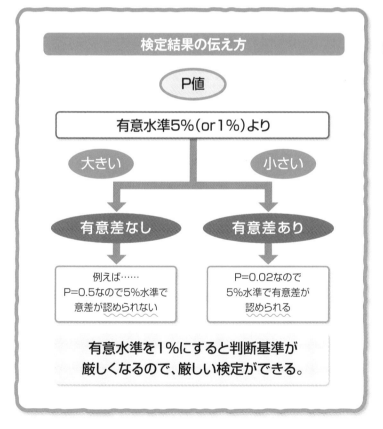

「違いがある」といいたいの？
「大きい」といいたいの？

★★☆

■片側と両側って何？

　今回の例では新商品と従来品の評価に差があるかどうかを調べたいので、検定を行いました。「差があるか」を調べたのであって、「評価が高いか」を調べたわけではありません。

　「差があるか」どうかは大きい場合もありますし、小さい場合もあります。よって、次ページの図のように分布の両側を合わせて5%の範囲を考えますが、「評価が高いか」「評価が低いか」といったことを調べたい場合は分布の片側だけで5%の範囲を考えます。"P(T<t)両側" と "P(T<t)片側" の両側、片側はこのことだったのです。つまり、

「差があるといえるか」を調べたい場合➡P(T<t)両側を見る
「大きい（小さい）といえるか」「高い（低い）といえるか」を調べたい場合➡P(T<t)片側を見る

というわけです。今回の新製品と従来品の評価の比較で、新製品のほうが従来品より評価が "高いといえるか" ということを調べたい場合は "P(T<t)片側" の値が0.05より大きいか小さいかを確認します。今回の "P(T<t)片側" の値は0.09です。0.05よりも大きいので、

　　「P=0.09なので、5%水準で有意差が認められない」

という結果になります。新製品の評価は従来品より高いとはいえなさそうですね……。残念！

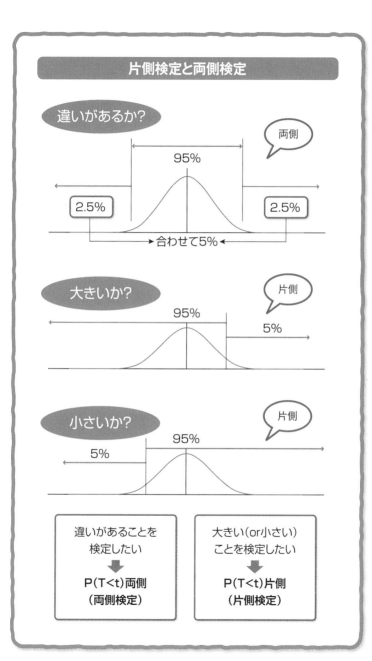

■t検定もいろいろ

[データ] タブの [データ分析] からt検定を探して見ると

t検定　一対の標本による平均の検定

t検定　等分散を仮定した2標本による検定

t検定　分散が等しくないと仮定した2標本による検定

の3種類あります。前ページまでの説明で使っていたのは「一対の標本による平均の検定」です。この一対の標本とは何を意味するのでしょうか？　全員が新商品と従来品の両方を評価しているので、各データが新商品と従来品で1セットになっていることを意味します。

　もし、新商品を男性と女性が評価した結果を比較したいときには？　この場合は各データが一対になっていないので、2標本による検定を行います。2標本による検定を行う場合は、それぞれの標本の分散（標準偏差のようにバラツキ具合を表す指標：標準偏差を二乗したもの）が等しいかどうかをF検定で確認するというステップが入ります。2つの標本の分散が等しい場合は「t検定等分散を仮定した2標本による検定」、分散が等しくない場合は「t検定分散が等しくないと仮定した2標本による検定」を行います。

　何だか難しそうに感じるかもしれませんが、次ページの図のような手順に沿って考えればいいだけなので、そんなに難しく考える必要もありません。

また、F検定という新しい検定が出てきましたが、ExcelでF検定をしてP値を見るだけです（ちなみに分散というのは標準偏差を2乗したものです）。

　それでは、実際に2標本による検定をやってみましょう。

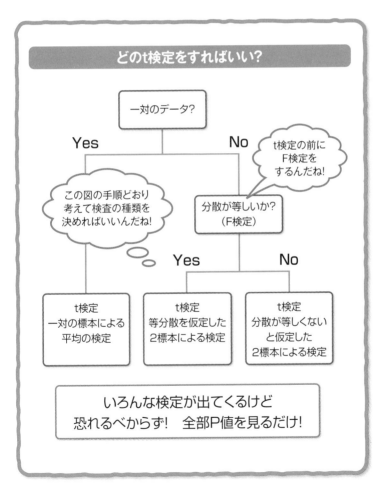

33 データを別々に集めたら、まずはF検定

★★☆

　20代向けの新商品を出すにあたり、ある方法でパッケージの印象の点数を付けるという調査を行い、Aグループ（女性）とBグループ（男性）の評価を比較したいと思います。しかし、Aは女性、Bは男性なので、一対のデータではありません。

　この場合、一対のデータにはなっていないので、まずは分散が等しいかどうかを調べるためにF検定をします。

F 検定

❶ t検定(2標本).xlsxというファイルを準備します。（ダウンロードファイル）

❷ ファイルを開き「パッケージ印象調査」というシートを表示します。

❸D1セルに「Aの分散」E1セルに「Bの分散」と入力します。

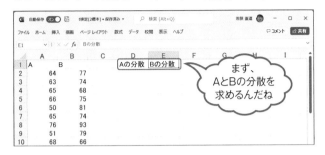

❹VAR関数でA、Bグループそれぞれの分散を求めます。まず
はD2セルを選択し、[数式] タブをクリックし、[関数の挿入]
をクリックします。

❺[関数の検索] に「分散」と入力して [検索開始] ボタンをク
リックします。[関数名] に表示されたVAR.S関数を選択し
て、[OK] ボタンをクリックします。

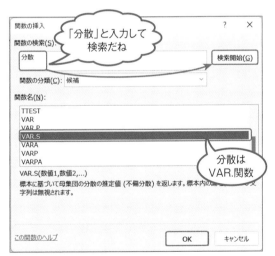

データが母集団全体のデータの場合はVAR.P関数を選択して
ください。今回は標本データのためVAR.S関数を使っています。

❻ [数値1] でA列全体を範囲指定し、[OK] ボタンをクリック
すると分散が表示されます。

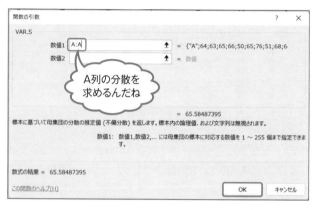

❼ ❹～❻と同じ手順でE2セルにBの分散を記入します。

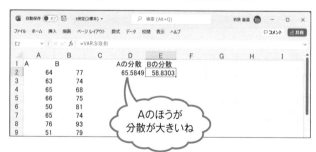

　Aのほうが分散が大きいことがわかりました。ここからF検定
を行います。

❽ [データ] タブの [データ分析] をクリックします。

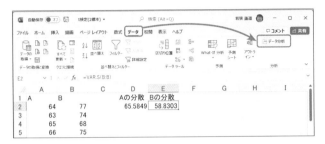

❾ [F検定:2標本を使った分散の検定]を選択し、[OK]ボタン
をクリックします。

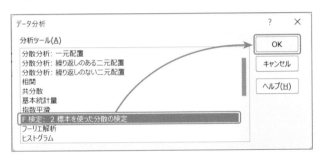

❿ [変数1の入力範囲] には分散の大きいほうの標本の範囲を
入力します。今回はAグループの分散の方が大きいので、A
グループのデータ範囲を入力します。

F 検定: 2 標本を使った分散の検定	? ×
入力元	
変数 1 の入力範囲(1):	$A$1:$A$36 ↑
変数 2 の入力範囲(2):	↑
□ ラベル(L)	
α(A): 0.05	
出力オプション	
○ 出力先(O): ↑	
● 新規ワークシート(P):	
○ 新規ブック(W):	

［OK］
［キャンセル］
［ヘルプ(H)］

変数1には
分散が大きいほうの
範囲を入れるんだね!

⓫[変数2の入力範囲]には分散の小さいほうの標本の範囲を入力します。今回はBグループの分散のほうが小さいので、Bグループのデータ範囲を入力します。

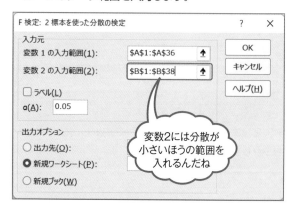

⓬入力範囲の1行目がラベル（タイトル行）なので[ラベル（L)]にチェックを入れます。

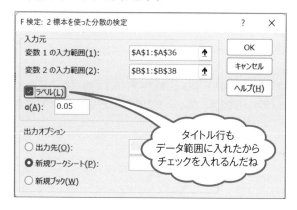

⓭[出力オプション]の新規ワークシートに出力結果を表示するシート名を入力します。（今回は"F検定"）[OK]ボタンをクリックすると分析結果が表示されます。

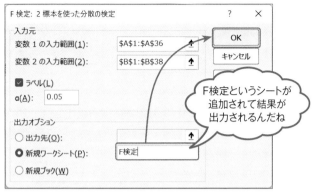

分析結果を見てみると "P(F<f)片側" という項目があります。これがF検定でのP値です。もう一度おさらいしておきますが、P値とは2つの集団が同じだとしても、観測された程度の差が生じる確率です。

今回のP値は0.37です。100回中37回はこのような差は生じるので、結構頻繁に起こることですね（基準である0.05と比べると大きい値）。よって、今回の2つの標本の分散に違いがあるとはいえません。ということで、本文167ページの流れに従って[t検定等分散を仮定した2標本による検定]をします。

34 t検定　等分散を仮定した 2標本による検定 ★★★

　[t検定　等分散を仮定した2標本による検定]といっても、Excelの作業としては[t検定　一対の標本による平均の検定]と何も変わりません。

等分数を仮定した 2 標本による検定

❶ t検(2標本).xlsxというファイルを準備します。（ダウンロードファイル）
❷「パッケージ印象調査」というシートを表示します。「33 データを別々に集めたら、まずはF検定」で作業した後なら、Aの分散とBの分散が入力されています。

❸ [データ] タブの [データ分析] をクリックします。

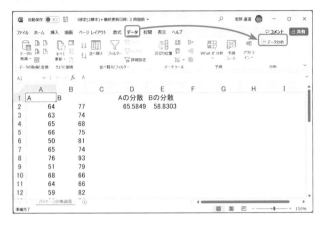

❹ [t検定 等分散を仮定した2標本による検定]を選択し、[OK]ボタンをクリックします。

分散に違いが
あるとはいえないと
わかったから、これを
選ぶんだね！

❺ [変数1の入力範囲]はAグループのデータ範囲を入力します。

❻ [変数2の入力範囲]はBグループのデータ範囲を入力します。

❼入力範囲の1行目がラベル（タイトル行）なので［ラベル
(L)］にチェックを入れます。

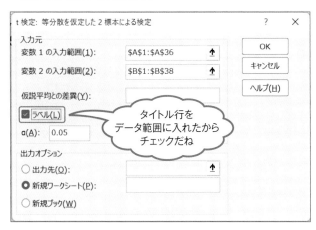

❽［新規ワークシート］にチェックを入れ、「検定結果」と入力し、
［OK］ボタンをクリックすると、検定結果が表示されます。

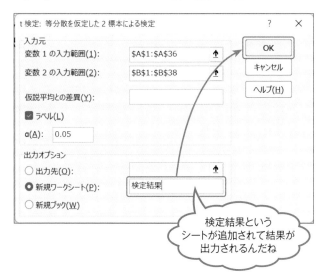

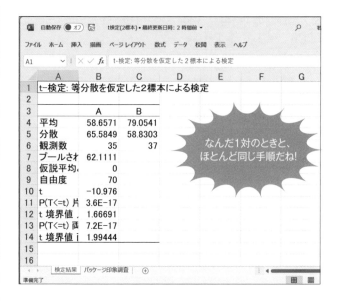

	A	B	C
1	t−検定: 等分散を仮定した2標本による検定		
2			
3		A	B
4	平均	58.6571	79.0541
5	分散	65.5849	58.8303
6	観測数	35	37
7	プールさ木	62.1111	
8	仮説平均	0	
9	自由度	70	
10	t	−10.976	
11	P(T<=t) 片	3.6E-17	
12	t 境界値	1.66691	
13	P(T<=t) 両	7.2E-17	
14	t 境界値	1.99444	

なんだ1対のときと、ほとんど同じ手順だね!

今回は、A,Bグループの評価に差があるかどうかを知りたいので、P値は "P(T<t)両側" を見ます。E-17という表記は10^{-17}という意味なので、P値は7.2×10^{-17}という大変小さな値になりました。もし、A,Bグループの評価が同じぐらいだと仮定したら、今回のアンケート結果のような差が生じる可能性は、1兆の1兆倍に、さらに1000をかけた回数調べて7回ぐらいです。

こんな激レアなことが起きているのに、「これは誤差でしょ」なんていえません。つまり、A（女性）,B（男性）グループの印象評価は同じとはいえませんね。よって

P=7.2×10^{-17}なので、1%水準で有意差が認められる

ということになります。

[t検定：分散が等しくないと仮定した2標本による検定]
も、解釈のしかたはまったく同じなので割愛します。

第**9**章

地図上にデータを配置

コンビニの出店計画をしている五郎は
人口のデータを地図上に表示したいと
思っていました。

五郎：「なんとか簡単に地図上にデータを表示できないか
　　　なぁ」
部長：「Excelの3Dマップや塗り分けマップという機能で
　　　地図上にデータを表示できるらしいぞ！」
五郎：「えっ、そうなんですか？　調べてみます！」

データの概略を知りたい

データの概略がわからないと、どこから手をつけていいのかもわかりません。そこで、全体を把握するためによく使用されるのがグラフです。しかし、グラフでは地理情報は「東京」などの地名でしか表すことができません。そのため「どこの近くで何が売れている」「居住者人口が多い地域では何時に何が売れる」といった分析は、紙の地図上でするか、頭の中に入っている地理情報を元に分析するしかありません。**ジオマーケティング**という言葉があるように、販売情報、人口情報などを地図上で表現したいというニーズはかなり多くあります。

エクセルで地図上にデータを配置する

ビッグデータが活用され出すと、地図と様々なデータの重ね合わせのニーズは、どんどん増えてくるでしょう。そのようなニーズを見越して、Excel（エクセル）でも3Dマップや塗り分けマップという地図上にデータを配置する機能が利用できるようになりました。

地図とデータを重ねて見せる

35 3D Mapsを使ってみよう！ ★★☆

　3Dマップは、3D地球儀や地理的空間にデータを表示します。そのデータには、国名や都道府県名、都市名、緯度経度などの地理的なデータと、地図上のその地点に表示したい数値データを対にして、1行に1つずつ入力しておきます。例えば、A列の「住所」には市区町名を、B列の「人口総数」には地域ごとの人口データを対にします。

　このように、いくつかのデータを同じ順番で並べた1行分の情報のことを「**レコード**」と呼びます。レコードは、データベースソフトで扱うデータの並びですから、Excelはデータベース用のデータも作成できるのです。

　3Dマップで使うレコードには、地理的情報が1つ以上含まれていることが必要です。3Dマップでは、この地理的な情報をMicrosoftの検索サイトであるBingの検索結果を使って処理して、その地点にデータを表示しています。

　それでは実際に3Dマップを使ってみましょう。

地理情報と
数値データを
合わせみるよ

3Dマップで地図上にデータを表示

❶東京都人口.xlsxというファイルを準備します。(ダウンロードファイル)

❷ファイルを開き「データ」というシートを表示します。

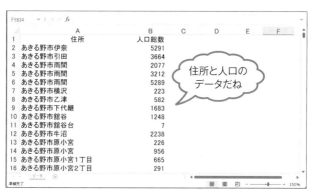

住所と人口の
データだね

❸A1〜B6342を選択します。

Excelシートのデータが入力されている広範囲をまとめて選択したいときには、データのある領域の一番上の左隅のセル、この場合はA1セルを選択し、CtrlキーとShiftキーを押しながら矢印キーの→キー、↓キーを続けて押してください。

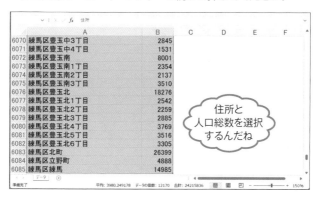

住所と
人口総数を選択
するんだね

❹[挿入]タブの[3Dマップ] ➡ [3D Mapsを開く]をクリックします。

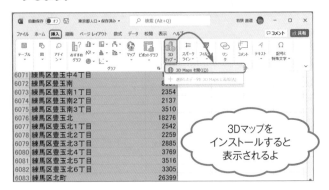

3Dマップを
インストールすると
表示されるよ

❺3D Mapsをはじめて使うときには、次のようなメッセージが表示されることがあります。[有効化]ボタンをクリックしましょう。

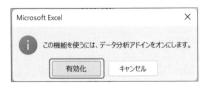

Microsoft Excel ✕

この機能を使うには、データ分析アドインをオンにします。

[有効化] [キャンセル]

❻3Dマップが表示されます。

これが
3Dマップの
画面だよ

❼[場所]の[フィールド追加]をクリックし、[住所] を選択します。

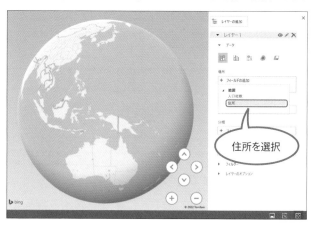

❽[場所]の[住所]の横に表示される[1つ選択]をクリックし、
[完全な住所] を選択します。

185 ●●●

❾ [高さ]の[フィールド追加]をクリックし、[人口総数]を選択します。

ここで
見える向きを
変えられるよ

拡大・縮小は
ここだよ

人口総数を
選択

❿ 3Dグラフが表示されます。

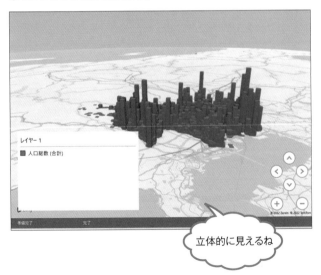

レイヤー 1

■ 人口総数 (合計)

立体的に見えるね

⓫ [データ] のグラフのアイコンで他のアイコンを選択すると
　 表示方法を変えられます。

▼ヒートマップの場合

ここで表示方法を
変えられるよ!

　3Dマップは非常に簡単にデータを地図上に視覚化できる非
常に便利な機能です。ビッグデータのような多くのデータが集
まったときに地理情報と一緒にそのデータを見比べて、どのよ
うなことが起きているのか概略を分析するというシチュエー
ションは、今後かなり多くあることでしょう。

36 塗り分けマップで地図にデータを配置しよう

★★☆

もう1つの地図機能の塗り分けマップを使って、地図上に都道府県別の牛の頭数データを表現してみましょう。

❶都道府県別牛の頭数.xlsxというファイルを準備します（ダウンロードファイル）。

❷ファイルを開き「都道府県別牛の頭数」シートを表示します。

❸A1～B48を選択します。

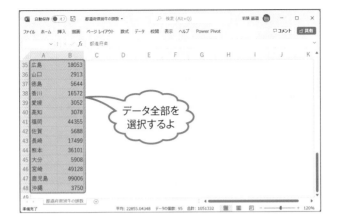

データ全部を
選択するよ

❹ [挿入] タブの [マップ] ➡ [塗り分けマップ] をクリックします。

❺地図上を右クリックし、[データ系列の書式設定] を選択。

地図上を
右クリック

❻ [マップ投影] を [メルカトル]、[マップ領域] を [データが含まれる地域のみ] を選択します。

牛の頭数が多い都道府県は濃い色に塗られます。

牛の頭数の
多いところが
よくわかるね

37 地図に円グラフを表示する ★★☆

　ここまでで紹介した3Dマップやマップ機能を使うことで、東京都の住所別人口や都道府県別の牛の頭数などのデータを"見える化"することができました。このように地図に加工したデータは、企画書やプレゼンテーション用の資料などに利用すれば、注目されること請け合いです。

　Excelは、Microsoftのオンライン地図サービス（Bingマップ）を利用して、地図上にグラフ化されたデータを表示することができます。前節の「都道府県別牛の頭数マップ」もBingマップを利用して、地図領域を色分けしたものです。

　ここで紹介する「Bingマップ」は、地図上に円グラフを表示するMicrosoft社製のアドインです。アドインというのは、必要に応じてオンラインからExcelに追加／削除できる追加の機能のことです。

　実は、前節で利用したマップ機能は、数年前はアドインでしたが、きっと評判がよかったのでしょうね、正式な機能になったものです。

　さてそれではBingマップを利用してみましょう。なお、この機能はオンラインでBingマップサイトを使うので、インターネットに接続しながら使用することになります。

地図に円グラフを表示する

❶国別犬猫の飼育割合.xlsxというファイルを準備します。（ダ
ウンロードファイル）

❷ファイルを開き「国別犬猫飼育数」というシートを表示しま
す。

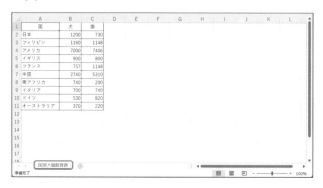

❸データ範囲（A1〜C11）を選択します。

	A	B	C	D	E	F	G
1	国	犬	猫				
2	日本	1200	730				
3	フィリピン	1160	1148				
4	アメリカ	7000	7406				
5	イギリス	900	800				
6	フランス	757	1148				
7	中国	2740	5310				
8	南アフリカ	740	200				
9	イタリア	700	740				
10	ドイツ	530	820				
11	オーストラリア	370	220				
12							
13							
14							
15							

❹ [挿入] タブの [アドイン] ➡ [Bing マップ] を選択します。

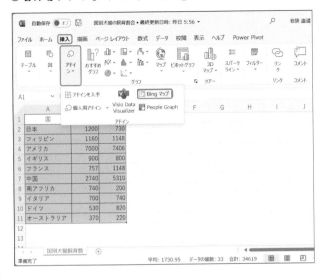

❺ 「Bing マップへようこそ」ウィンドウの閉じるボタン [×] を
クリックします。

ここを
クリックすると
「ようこそ」ウインドウ
が閉じるよ

❻マップ上部にあるメニューバーから「📍」をクリックします。
メニューバーが表示されないときは、マップを移動させたり、
マップ周囲のサイズ変更ハンドルをドラッグしたりしてみて
ください。

ここをクリック
するんだね

❼国ごとに犬と猫の頭数に応じた割合の円グラフが表示されま
した。マップ中に国やグラフが表示されていないときは、サイ
ズ変更ハンドルをドラッグしてマップウィンドウを広げてみ
てください。

ヨーロッパが
地図の中央に
表示されているね

❽マップウィンドウをドラッグすると、地図をずらすことができます。世界地図では日本が地図の中心にすることもできます。

　このようにしてExcelシートに挿入されたBingマップは、オンラインで専用のサーバーに接続していることで作成されているものです。このため、地図をずらしたり、オプションメニューを使ってグラフの色を変更したりできます。

ドラッグして
地図をずらすことも
できるよ

　作成したマップを画像に変換すると、オフラインでシートを表示しても見ることができます。そのためには、次のようにオプションメニューを操作します。

❾マップウィンドウをクリックすると、上部のメニューバーの右に「＜」が表示されます。この部分をクリックすると、オプションメニューが開きます。オプションメニューから「保存された画像として表示する」を選択します。

マップを図として
保存できる

　Bingマップが画像に変更されても見た目は変化しませんが、
Bingマップ機能のときには使えていたボタンやメニューが使え
なくなっています。
　このようにして作成したマップ画像は、プレゼンテーション
ソフトやワープロソフトなどにコピー＆ペーストして利用する
ことができます。

ダウンロードサービスのご案内

　本書で紹介したプログラムは下記の URL からダウンロードできます。

〈URL〉

http://www.shuwasystem.co.jp/support/7980html/6703.html

●ダウンロードファイル一覧

- 第 1 章　相関 .xlsx、異常値 v2.xlsx
- 第 2 章　回帰分析 .xlsx
- 第 3 章　重回帰分析 .xlsx

　　　　　重回帰分析 (マルチコ).xlsx
- 第 4 章　ダミー変数 .xlsx
- 第 5 章　影響度変数 .xlsx
- 第 6 章　損益分岐点 .xlsx
- 第 7 章　度数分布 .xlsx
- 第 8 章　t 検定（対応あり）.xlsx

　　　　　t 検定（2 標本）.xlsx
- 第 9 章　東京都人口 .xlsx

　　　　　都道府県別牛の頭数 .xlsx

　　　　　国別犬猫の飼育割合 .xlsx

＊ファイル名に「wked」が付いているのは、実習内容を反映した実習後のファイルです。

本書は、Excel（エクセル）2021/2019/2016のユーザーを対象に解説しました。

MEMO

INDEX

●著者紹介

道用　大介［どうよう　だいすけ］

1976年生まれ。富山県出身。博士（工学）。
慶應義塾大学理工学部管理工学科卒。
神奈川大学経営学部国際経営学科准教授。
専門はIE（インダストリアル・エンジニアリング）。
VBAを使った業務改善において、数多くの指導経験を持つ。

・執筆協力　　　　株式会社フーニャン

・本文イラスト　まえだ　たつひこ

図解でわかる
最新エクセルのデータ分析が
みるみるわかる本

［Excel2021/2019/2016対応版］

発行日	2022年　4月20日	第1版第1刷
	2023年　5月25日	第1版第2刷

著　者	道用　大介

発行者	斉藤　和邦
発行所	株式会社　秀和システム
	〒135-0016
	東京都江東区東陽2-4-2　新宮ビル2F
	Tel 03-6264-3105（販売）Fax 03-6264-3094
印刷所	三松堂印刷株式会社　　　　Printed in Japan

ISBN978-4-7980-6703-2 C0055